Martín Fernández Cruz

TAKASHI MIIKE

TAKESHI KITANO

VIOLENCIA Y TRADICIÓN

Takashi Miike / Takeshi Kitano:
Violencia y tradición

© 2015 de la presente edición T. Dolmen Editorial
Primera edición: Julio 2015
ISBN: 978-84-16436-17-0
Depósito Legal: PM 704-2015
C/Oms, 53
07003 Palma de Mallorca
dolmen@dolmeneditorial.com

Autor: Martín Fernández Cruz

Corrección: Pilar Lillo
Diseño portada: Tomeu Morey
Maquetación interior: Azahara Carreras
Editor: Vicente García
Dirección: Darío Arca

Agradecimientos

A Diego Brodersen y a Juan Pablo Olguín, por ayudarme a completar ese puzle infinito que es la filmografía de Miike.

A Luciana, que a pesar de las pataletas, cedió paseos y cenas con el objetivo de alentar este trabajo. Lu: ya he terminado el libro, ¡volvamos a la vida social!

A la editorial, por confiar en mí y en este proyecto (a pesar de la distancia).

A mi madre, que me contagió el amor por el cine a través de *101 dálmatas*.

A Jimmy Crispin, por todas las conversaciones sobre la obra de estos monstruos, y por las ideas que de allí surgieron. Jimmy, sin esas charlas, este libro no hubiera sido el mismo.

Y a Miike y Kitano, desde luego, por mejorar el mundo a través del cine...

Índice

Presentación 5

Capítulo 1
Dos autores necesarios 6

Capítulo 2
Violent Cop y **Boiling Point** 10

Capítulo 3
De **Red Hunter** a **Full Metal Yakuza** 18

Capítulo 4
De **Escenas en el Mar** a **Hana-Bi** 40

Capítulo 5
De **The Bird People** of **China a Audition** 52

Capítulo 6
De **El verano de Kikujiro** a **Zatoichi** 70

Capítulo 7
De **The City of Lost Souls** a **Deadly Outlaw Rekka** 82

Capítulo 8
Beber de Fukasaku, el sensei violento y **Graveyard of honor** 106

Capítulo 9
De **Takeshis** a **Aquiles y la tortuga** 112

Capítulo 10
De **The man in white** a **Sun Scarred** 122

Capítulo 11
Outrage y **Outrage Beyond** 146

Capítulo 12
De **Tennen Shojo Man** a **The mole song** 152

Capítulo 13
Una última cuestión a modo de conclusión 190

Índice de películas 194

Presentación

Por un lado está **Takashi Miike**. Siempre quise un libro que ordene la obra de Miike, y el motivo por el cual surgió este texto tuvo que ver con esa necesidad. Sin lugar a dudas, Miike es el director más auténtico que viera Japón durante muchos años, heredero de un legado que mezcla violencia, comedia, drama y hasta musical. La figura de Miike es siempre atractiva por lo intenso de su cine, y la idea de un director que puede llegar a estrenar hasta seis películas en un año lo convierte en una criatura tan fascinante como poco corriente. Esa catarata de películas, que dentro de no mucho alcanzará la centena, propone un doble desafío: por un lado, descubrir el verdadero trazo de un director que, como los grandes maestros del cine clásico, se piensa a sí mismo más como un empleado de la industria que como un verdadero autor; y por otro lado, el intentar echar luz de la manera más detallada posible sobre una obra enormemente fructífera. La idea primaria de este libro es repasar a Miike desde sus comienzos como asistente hasta su actualidad como uno de los hombres clave dentro de la cinematografía japonesa (y mundial).

Y por el otro lado está **Takeshi Kitano**, un comediante televisivo que con *Violent Cop* (su ópera prima) reconvierte su carrera de manera violenta, transformándose en otro de los grandes pilares del cine japonés contemporáneo. Desde finales de los ochenta, Kitano también trabajó varios géneros, imprimiéndoles a todos ellos una impronta absolutamente personal. Kitano, un director que parece querer evitar a toda costa el encasillamiento, construyó a lo largo de los años una carrera provocativa, basada en escaparse siempre de lo que el público esperaba de él. Por momentos, Takeshi parece destruirse como individuo para construirse como autor, poniendo su relación con el cine en la cima de sus intereses, y remitiendo a esas estrellas de rock que ven su vida atravesada de manera violenta por el arte del que son creadores.

Kitano y Miike, juntos, son de las caras más importantes de una renovación que transcurrió en el cine japonés. Ambos empezaron en el mismo período y supusieron una fuerte revitalización del cine de yakuzas, un género que les sirvió de trinchera y al que volverían de manera intermitente a lo largo de toda su obra. Las filmografías de Miike y Kitano, con sus mil diferencias, tienen en común el hecho de haberle suministrado energía al cine japonés en un momento en el que los dioses sagrados de ese país o ya no existían o estaban en el ocaso de sus carreras, y Takashi y Takeshi representaron una muy necesaria inyección de sangre nueva.

Miike y Kitano llevaron la delantera de lo que es, y seguirá siendo, una nueva etapa dentro del cine japonés, convirtiendo sus obsesiones en el centro de una renovada cinematografía. Y sobre esas cuestiones trata este libro.

Capítulo 1

Dos autores necesarios

Takeshi Kitano comenzó en la televisión haciendo comedia absurda. **Takashi Miike**, por su parte, venía de una incertidumbre vocacional que lo había llevado a considerar, incluso, ser miembro de la yakuza. Ambos no contemplaban el cine como un destino firme y llegaron a él a base de casualidades y causalidades. No se construyeron a sí mismos como autores prestigiosos, sino que poco a poco fueron desarrollando sus propias herramientas e inquietudes, haciendo de la firma autoral una evolución lógica, más que una impronta forzada. Kitano y Miike, más allá de sus infinitas diferencias (cuantitativas, temáticas y formales), están unidos por un incuestionable lazo: el de haberse convertido en dos referentes ineludibles del cine japonés. Ambos comenzaron a dirigir poco antes (Kitano) o poco después (Miike) de comenzada la década del noventa; ambos partieron desde casilleros totalmente distintos, pero los dos siguieron un rumbo que logró redefinir buena parte del cine japonés e instalaron tendencias que se convertirían en moneda corriente. Miike (al que apresuradamente siempre asocian exclusivamente con la ultra violencia) dirigió un puñado de películas que rápidamente conquistarían el mundo, desplazando de manera abrupta los ejes de lo permitido y llevando hacia el centro temáticas marginales, protagonizadas por antihéroes de lo más genuinos. Kitano, por su parte, logró renovar géneros mal considerados "menores" (la comedia absurda) y reconvirtió a los chatos y estereotipados protagonistas yakuza en personajes agobiados por una realidad que amenazaba con desbordarlos. Son

dos formas muy distintas de hacer cine, y en otro contexto histórico ambos podrían haber formado parte de un nuevo colectivo cinematográfico.

Uno de los movimientos más importantes en Japón fue la llamada "nueva ola", surgida a finales de los cincuenta e integrada por monstruos sagrados como **Nagisa Oshima**, **Shohei Imamura**, **Yoshishige Yoshida** y **Masahiro Shinoda**, entre otros. De manera muy general, se podría decir en lo más inmediato que esa nueva ola surgió con la necesidad de marcar una ruptura con respecto a la generación previa y de dar luz a una serie de temáticas y personajes que el cine japonés había preferido evitar. Como sucede en el arte en general, el nacimiento de una generación se identifica como una respuesta a los maestros previos, con quienes reniegan cualquier tipo de filiación. Y, probablemente, si Miike y Kitano hubieran sido acompañados por otros directores, también habrían conformado una nueva "nueva ola". Pero Takeshi y Takashi tuvieron la necesidad de ensamblar universos propios, con la evidente ventaja que implica el no sufrir comparaciones de ningún tipo (pero también con la desventaja que supone el no tener compañeros temáticos, dueños de un cine con el cual dialogar). A los dos les tocó navegar sin brújula, pero a pesar de eso el cine de ambos evoluciona constantemente, con momentos de crisis y otros de apogeo.

Miike y Kitano se convierten en inesperados compañeros de ruta al representar una nueva cara del cine japonés, generando réplicas fáciles de rastrear y dando nacimiento a una devota legión de entusiastas espectadores y críticos. Kitano y Miike hicieron un cine que, con el correr del tiempo, se convirtió en una obra bastarda, que se alejó de cualquier antepasado artístico reconocible, para convertirse más y más en la obra de dos directores únicos en cuanto a su percepción del cine, y cuya verdadera meta es filmar las historias que más los entusiasman. Y con ese objetivo en el horizonte, Kitano y Miike lograron renovar el cine japonés.

Capítulo 2

El chico que quería ser (algo o alguien)

Si se tienen en cuenta los orígenes de **Takeshi Kitano** en el mundo del arte, por un lado sorprende (y por el otro no) el hecho de que se haya convertido en uno de los directores más prestigiosos y populares no solo de Japón, sino del mundo. No sorprende porque se sabe que desde su infancia Kitano luchó siempre por convertirse en el centro de atención, intentado desesperadamente destacar sobre sus compañeros (algo que nunca logró a esa edad). Por el otro lado, sí sorprende porque Kitano, en ese afán de convertirse en "alguien", decidía abarcar todas las temáticas artísticas habidas y por haber, con la ilusión de destacar en algo, y perdiendo en ese camino por abarcarlo todo el verdadero foco de atención. Lejos de darse por vencido, Kitano se convirtió, con el paso de los años, en el artista perfecto. Takeshi fue, es y será por siempre un gran comediante, un excelente director cinematográfico, un notable pintor y un soberbio guionista. Nacido el 18 de enero de 1947, Kitano fue el menor de cuatro hijos y tuvo una infancia muy difícil. Su padre, alcohólico y golpeador, abandonó a su familia, quedando su madre y el mayor de sus hermanos a cargo del grupo. Kitano creció en Adachi, un barrio muy humilde de Tokio, y en la calidez de ese sitio encontró una segunda familia, compuesta por vecinos, amigos y comerciantes. De muy pequeño, Takeshi sabía que su objetivo era resaltar, evadir esa dura situación convirtiéndose en un talento y en el foco de atención, pero el arte todavía era una realidad esquiva. Kitano

decidió estudiar ingeniería, aunque esa opción duró poco. Oponiéndose categóricamente al deseo de su madre (que dedicó su vida a sus hijos, siempre insistiendo con que solo a través de una buena educación podrían alcanzar una vida próspera), en 1970 Kitano se sumerge por completo en el arte, dejando atrás la vida académica. Un joven Takeshi comenzó a frecuentar a poetas, pintores y escritores, encontrando en ellos un nuevo círculo social que le permitió descubrir y pulir un natural talento para la comedia. Decidido a seguir ese camino, y a pesar de sufrir varios tropezones, Kitano logra el triunfo cuando junto a **Kaneko Kiyoshi** forma la dupla cómica *Two Beats*, centrada en la tradición del humor *manzai* (dos cómicos dialogando a altísima velocidad y disparando chistes como si fueran ametralladoras). La fama del dúo creció enormemente cuando tuvieron la posibilidad de presentarse en televisión. Esos pasos eran los primeros de un camino que con el tiempo convertirían a Kitano en leyenda.

Takeshi basaba sus parlamentos cómicos en un humor políticamente incorrecto, absurdo y lleno de groserías. Luego de convertirse en referente de ese género, a finales de los setenta y comienzos de los ochenta, Kitano decide convertirse en un estrella solista, dejando atrás su etapa en *Two Beats* e intentado focalizarse en una carrera alejada del humor absurdo (que sería, igualmente, un primer amor al que volvería varias veces en el futuro). Mientras, comienza obtener distintos roles en cine, como por ejemplo en 1983, cuando tiene una participación en ***Feliz Navidad, Mr. Lawrence***, de Nagisa Oshima. En 1986 logra un gigantesco éxito televisivo: ***Takeshi´s Castle*** (conocido en España bajo el nombre ***Humor Amarillo*** y estrenado en 1990 en **Telecinco**). Kitano era la principal figura de ese

programa, que se centraba en pruebas de destreza y carreras de obstá-
culos absurdas. Fue un show televisivo que a Takeshi le significó un
aumento enorme de popularidad,
convirtiéndolo en una verdadera celebridad, al punto de llegar a
protagonizar su propio videojuego
para el **Nintendo** de 8 bits. La fama
de Kitano crecía, y los personajes
que había creado parecían multipli-
carse pero, a pesar de eso, el actor
quería dar un vuelco a su carrera.

Necesitaba cambiar de aires y mostrarse como el complejo artista que indudablemente era (y todavía es).

Violent Cop y Boling Point

Violent Cop era el título de un guion que estaba a punto de filmarse.
La película iba a ser una comedia absurda que parodiaba a personajes en
la línea de **Harry el Sucio** (Dirty Harry, 1971), de Don Siegel. Era el papel
ideal para Kitano pero el actor lo consideraba más de lo mismo, y protagonizar ese film significaba instalarse más aún en la esclavitud del eterno
comediante. Pero las cosas se torcieron. El director en carpeta era **Kinji
Fukasaku**, un verdadero gigante del cine japonés, que debió posponer el
proyecto cuando sufrió algunos problemas de salud. El tiempo avanzaba,
Fukasaku seguía sin poder hacerse cargo del film y los productores comenzaron a temer que el proyecto cayera en manos poco talentosas. Forzados
por las circunstancias, decidieron dar un salto al vacío y le ofrecieron la

dirección de **Violent Cop** a Kitano,
que aceptó entusiasmado el nuevo
cargo. Claro que como suele suceder con estas anécdotas, hay una
versión menos amable. Se dice que
Fukasaku, cuando empezó el rodaje de la película, no tenía paciencia con el actor, dado que Kitano
podía trabajar muy pocas horas
por semana debido a sus compro-
misos en televisión. Eso derivó en
que Kinji se agotara y decidiera
abandonar el proyecto. Casi como
una broma, el productor del film,
Okuyama Kazuyoshi, le sugirió a

Kitano que él debería dirigir la película. Takeshi, que muy en el fondo seguía siendo el niño que deseaba a toda costa ser el centro de atención, no tardó en aceptar el puesto, convencido de que dirigir no podía ser algo muy difícil. Ese fue el instante en el que la carrera de Kitano daría un vuelco de 180 grados. El actor rehízo por completo el guion de *Violent Cop*, y apurado por demostrar a sus espectadores que sus días como comediante eran cosa del pasado, acentuó el carácter violento del film, convirtiéndolo en una historia oscura y desesperanzada.

En la película, Kitano encarna a Azuma, un policía sin ética que encuentra en el ejercer de la violencia, no solo una fuente de placer, sino la única herramienta útil para hacer justicia y llegar a la verdad. En el departamento de policía para el que trabaja, los violentos métodos de Azuma son de sobra conocidos, algo que le permite obtener el respeto de sus pares pero la reprobación de sus superiores. A lo largo del film, el policía comienza una cruzada contra un grupo de narcotraficantes, que lo llevará a un violento enfrentamiento final, cuando los delincuentes decidan secuestrar a la hermana de Azuma. *Violent Cop*, se nota, es una película de iniciación. Se hace evidente, y más conociendo el camino que tomaría en el futuro el cine de Kitano, que aquí Takeshi estaba jugando con un coche nuevo del que le habían prestado las llaves, descubriendo cómo funciona y procurando no estrellarlo contra una pared en el primer paseo. A Kitano se le ve mucho más cómodo actuando que dirigiendo, algo totalmente lógico teniendo en cuenta que el artista venía de una larga trayectoria delante

de la cámara, sin haber estado nunca detrás. A pesar de su nula experiencia, *Violent Cop* es un auspicioso debut del actor en la silla de director, y si bien la historia de la película no deja de ser bastante sencilla, se nota el interés y la seguridad que Kitano va ganando a lo largo del desarrollo de la trama. En primer lugar, se hace evidente que a Takeshi le importaba mucho jugar con la puesta en escena, con la cámara, con las luces y el sonido. De ese modo, el director construye una película que parece evolucio-

nar constantemente, y que si bien comienza con una puesta en escena muy medida, al poco tiempo comienza a soltarse más y más, ganando mayor relevancia. En *Violent* Cop se encuentra la primera gran secuencia dentro del cine de Kitano, que es la persecución de un narcotraficante por parte de unos policías. Primero a pie y luego conduciendo un automóvil, Kitano monta una escena de acción muy intensa, pero alejada de las cámaras vertiginosas tan presentes en otros films de persecuciones policiales. Takeshi se limita a ubicar la cámara en el asiento trasero del coche, poniendo al espectador en el lugar de acompañante involuntario de esa cacería. La inteligencia del director es demostrar con esa persecución la insaciable sed de violencia que parece consumir al protagonista. En el futuro, cuando Kitano se enamore del montaje, no volverá a repetir mucho esos planos secuencia así de extensos. *Violent Cop*, por otra parte, adelanta algunos elementos que luego cobrarían mucha fuerza dentro del cine de Kitano, y que aquí se asoman de manera tímida (la presencia del mar, por ejemplo). El primer desafío que asumió el director al tomar la dirección de esta película no fue tanto el vinculado al contenido, sino más bien el de aprender a descifrar y a construir una puesta en escena propia, una prueba de fuego que con maestría pudo superar en su ópera prima.

En 1990, apenas un año después de su debut, Kitano estrena su segundo largometraje: **Boiling Point**. El protagonista de la historia es Ono, un jugador amateur de béisbol que atiende una gasolinera (el título original del film, que sería algo así como *3 a 4x, Octubre*, hace alusión al resultado de un partido en ese deporte). Tras ser provocado por un yakuza local, Ono lo golpea (en realidad, apenas lo toca), lo que significa que ese clan comience a acosar a los empleados y al dueño del lugar. El joven le pide ayuda a un antiguo yakuza al que conoce pero nada de eso sale bien, y por ese motivo decide viajar hasta Okinawa para comprar armas y ajustar cuentas. Allí conoce a Uehara (interpretado por el propio Kitano), un yakuza detestable que no tiene ningún tipo de código ético o moral. Ono regresa a su ciudad con las armas pero su evidente falta de madera para esos asuntos lo llevará a obtener pésimos resultados. Si bien

ese resumen de la trama podría ajustarse con facilidad a una película de **John Woo**, la realidad es absolutamente opuesta. Lejos de las escenas de acción trepidante, de los constantes movimientos de cámara y de los personajes molones del director chino, *Boiling Point* es la historia de un hombre que, lamentablemente, no es más que un pobre diablo. Ono es un individuo que parece vivir en piloto automático, que no termina de destacar en nada y que no mide las consecuencias de sus (pocas) acciones. Hay algo en ese andar vago de Ono que lo remite con facilidad a muchos personajes de, por ejemplo, los hermanos **Coen** (sobre todo con el protagonista de *El hombre que nunca estuvo allí*), porque Ono es una persona que parece encerrada en una espiral de mediocridad del que no puede escapar jamás y que, cuando tímidamente lo intenta, lo hace para terminar siempre con resultados fatales. Por otra parte se encuentra Uehara, que es el opuesto exacto de Ono. Uehara vive de manera caótica, comportándose según sus impulsos más primarios y no sopesando jamás las consecuencias de sus actos. Ese personaje mide su vida según dos constantes: el sexo y la violencia. Pero Uehara no entiende el sexo solamente como un acto de placer, sino como una forma de sometimiento, como una forma de diálogo perverso entre mujeres y hombres. Para él, el sexo puede ser tanto una moneda de cambio como una forma de ejercer el dominio sobre otro. La violencia, a su vez, está íntimamente ligada al sexo, principalmente porque Uehara la entiende como una manifestación sexual, como un estímulo de placer que suele llevarlo a comportarse de manera totalmente desmedida. El constante acto de Uherara por molestar a su "novia", dándole golpes una y otra vez luego de que ella le fuera infiel (algo absurdo, teniendo en cuenta que el mismo Uehara fue quien ordenó esa infidelidad), es el comportamiento de un niño al que no le dan su helado después de un berrinche. Y ahí es donde se encuentra el aspecto clave de ese personaje, porque detrás de esa actitud violenta y desmedida hay un adulto que enfrenta a la vida comportándose como un niño, y cuyo objetivo es, simbólica y literalmente, obtener ese premio en forma de helado. En Uehara no hay misoginia ni sadismo, lo que hay es un adulto que obedece a sus impulsos más elementales, con la misma fuerza que pondría en ello un niño de tres años.

    Boling Point y *Violent Cop* significan el comienzo de una primera etapa dentro del cine de Kitano, una etapa que tiene que ver con comprender el cine como realizador y comenzar a jugar con las herramientas propias de este medio (en *Boling Point*, más que en *Violent* Cop, comienza a ganar seguridad experimentando con el montaje). En estas dos películas, Kitano juega con la violencia y sus distintas formas, pero en sus próximas películas, su espectro temático se abrirá ampliamente, concretando ese sueño del niño que fue y que alguna vez quiso destacar.

Capítulo 3

Buscando la pasta

Si bien **Takashi Miike** (24 de agosto de 1960, Osaka, Japón) es uno de los realizadores más prolíficos de la actualidad, su vocación como director cinematográfico tardó en aparecer. Lejos de aquellos directores que en su más tierna infancia encontraban en la pantalla grande su razón de ser, el gamberro de Miike llegó al cine casi por descarte. En su juventud, cuando debía abrirse camino en el mundo profesional, Miike se encontró sin una vocación clara. En ese período, a Takashi parecían fascinarle solo dos cosas: el pachinko y las carreras en motocicleta. El pachinko no presentaba una opción profesional, y las carreras de motocicletas lo envolvían en un mundo peligroso y hasta mortal. Muchos de sus amigos que compartían esa pasión terminaban muertos en el transcurso de las competiciones. Por ese motivo, Miike abandonó esa afición y, luego de descartar también una carrera dentro de la ingeniería mecánica, el joven se encontró nuevamente sin rumbo. Después de negar incluso la opción de hacer carrera dentro de la yakuza (iba a requerir demasiado esfuerzo, pensaba Takashi), terminó por casualidad entrando en la escuela de cine del mítico **Shoei Imamura**, cuando escuchó una aviso en la radio diciendo que para comenzar a estudiar cine no era necesario rendir exámenes ni contar con estudios previos. Instalado en Yokohama, ciudad en el que se situaba el instituto, Miike se encontró lejos de sus padres e intentado sobrevivir con trabajos de poca monta. En sus primeros meses en la escuela era evidente la indiferencia que el joven Takashi tenía con respecto a ese mundo. Se ausentaba demasiado de las clases y muchas de las ideas que los profesores tenían con respecto al

cine le parecían totalmente vacías. A pesar de esto, el mundo del entretenimeinto audiovisual se impuso y Miike se encontró, en el segundo año de sus estudios, trabajando para una serie televisiva titulada *Black Jack*. Gradualmente, el futuro director comenzó a encontrar más y más trabajo como miembro de equipos encargados de realizar distintos shows televisivos. Así pasó el tiempo, y casi sin advertirlo, un buen día Miike se dio cuenta que llevaba trabajando en televisión casi diez años, y se había convertido en un valioso asistente de dirección. Si bien Takashi estaba hastiado de su trabajo, ese extenso recorrido le permitió conocer a fondo la mecánica de una filmación, ya que había tenido la oportunidad de ocupar prácticamente todos los puestos de trabajo requeridos en un rodaje. Pero las series de televisión lo agotaban y encontraba que en ese rubro le era imposible poner en práctica formas creativas para desarrollar una historia. La televisión, desde la óptica de Miike, estaba demasiado restringida a límites formarles y a reglas preestablecidas. El cine, que antes parecía no terminar de interesarle, se presentaba ahora como una sirena cuyo tentador canto prometía libertad absoluta, una llamada por la que Miike no tardó en sentirse

poderosamente atraído. Así fue como, sin siquiera alcanzar los treinta años, tuvo la oportunidad de trabajar en el equipo de asistentes del mismísimo Shoei Imamura, para el film **Zegen, el señor de los burdeles** (1987). Después de esa experiencia, Takashi trabajó para otros directores, antes de volver a colaborar junto al sensei Imamura en **Lluvia Negra** (1989). Los años ochenta llegaban a su fin, y Miike estaba a un paso de su debut como director.

Bienvenidos al V Cinema.

Para finales de los ochenta, el mercado de las películas realizadas directo para vídeo estaba en su apogeo. El llamado V-Cinema encontró un nicho que le permitía a una gran cantidad de productoras, de poca o mucha monta, invertir poca pasta en películas que no tenían grandes pretensiones, que muchas veces se ceñían a fórmulas preestablecidas exitosas, y que solían tener una interesante ganancia. No era un negocio millonario, pero sí un camino seguro y sencillo para muchas productoras pequeñas, ávidas de sumergirse en la moda de las explosiones, las mujeres ligeras de ropa y los héroes de acción todo terreno. En Japón, al revés de otros mercados, el V-Cinema juega de este modo el rol de campo de prácticas en el que muchos directores se abastecen de sus primeras armas. Y en este campo es en el que Miike tuvo la posibilidad de hacer su debut. Tras haber transitado por la televisión, haber colaborado con grandes directores y buscado desesperadamente la libertad creativa, Miike llegó al V-Cinema como un hombre que, si bien aún no tenía un estilo propio, no tardaría mucho en crearlo. Esta primera etapa como director de vídeo fue la etapa de formación más importante de Miike, y el lugar en el que pudo, tímidamente, poner en práctica varias de las ideas visuales que luego constituirían su identidad autoral. En esta primera etapa, que va desde 1991 hasta 1997, se nota en el director un crecimiento abismal, resultado de su fructífera obra (que contó con un total de 23 films en solo 6 años). Fue un período de intensa experimentación, años mutantes en los que Miike intentó poner sobre el tablero todo lo que había aprendido trabajando en televisión y todo lo que quería demostrar trabajando en largometrajes.

De Red Hunter: Prelude to Murder a Human Murder Weapon

Si bien la mayoría de esta primera tanda de películas no son grandes obras maestras, en líneas generales todas tienen un nivel de calidad digno.

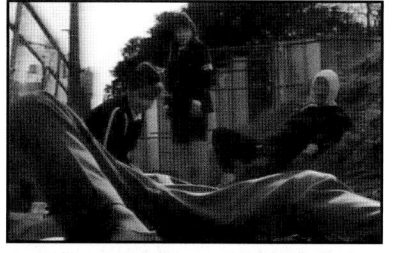

Aunque la estructura del V-Cinema es un tanto encorsetada, en cada una de sus películas Miike se las ingeniaba para salir del esquema establecido, que respondía siempre a la presencia de sexo, violencia y acción. Y aunque estos tres ingredientes suelen estar presentes, los films se convierten en pequeños ensayos para una carrera posterior que se intuía de gran importancia.

Miike recibe la oferta de dirigir *Eyecatch Junction* (1991), un film de acción en tono de comedia protagonizado por un grupo de mujeres policía. Cuando todo estaba listo para comenzar a rodar, apenas dos meses antes del inicio, le ofrecen a Miike la dirección de **Red Hunter: Prelude to Murder** (también conocida como *Lady Hunter*, y estrenada en 1991). Lanzada al mercado del vídeo en diciembre de ese año, la película cuenta la historia de **Saeko**, una antigua soldado de las fuerzas armadas que se encuentra ahora retirada de ese campo, viviendo con un pasado que la atormenta. Como es fórmula en esta clase de films, Saeko se encontrará de golpe involucrada en una guerra entre bandas y deberá rescatar al pequeño Riki de las garras de un malvado hombre, lo que conducirá obviamente a un enfrentamiento entre Saeko en plan **Rambo**, versus el pequeño ejército del misterioso villano. Como debut, *Lady Hunter* está más que bien. Se nota que Miike entiende de lleno las reglas del cine de acción más elemental, que conoce el ritmo que debe tener este tipo de películas y que puede construir con equilibrio un film cuyos espectadores solo desean ver dos cosas: tiros y muerte. Pero Miike intenta ir más allá, y como el personaje de **Burt Reynolds** en *Boogie Nights* (ese director de cine porno cuyo máximo sueño era que el espectador se interesase por la trama luego de masturbarse), Takeshi intenta por todos los medios cautivar a la platea a través de su actriz protagónica, una figura totalmente atípica en un mundo que suele estar dominado por la testosterona. Si bien en Japón hay una tradición de heroínas sólidas (con *Lady Snowblood* a la cabeza), Saeko se presenta como una figura lo suficientemente atractiva como para generar intriga en el espectador. En este sentido, también, es importante destacar la comodidad con la que Miike puede encauzar la acción a través de un personaje femenino. Entendiendo el feminismo como una idea que aboga por la igualdad entre hombres y mujeres (y no sobre una superioridad de la mujer frente al hombre), *Lady Hunter* tiene matices de ser un relato feminista, ya que la protagonista se sumerge en un mundo masculino de igual a igual, sin merecer tratos especiales por el mero hecho de ser mujer. En este film, es indudable que a Miike el universo femenino le resulta de gran atractivo y que entiende a su protagonista como un personaje de enorme riqueza. Lamentablemente, parte de esta visión se desintegrará con la llegada de su segunda película (que como mencioné antes, fue estrenada antes que *Lady Hunter*). Su título es *Eyecatch Junction* y llegó al mercado del vídeo

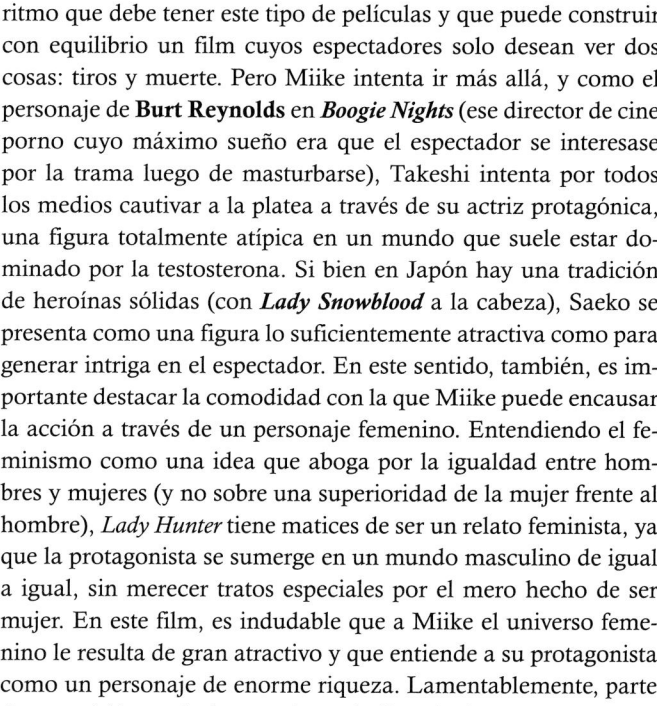

en octubre de 1991. Se trata de una película protagonizada por un grupo de mujeres policías cuyo nivel de torpeza sirve como disparador de situaciones cómicas. Diameltramente opuesto al caso de la Saeko de *Lady Hunter*, aquí las protagonistas no son para nada serias ni profesionales, y si bien algunas de ellas son expertas en combate, no dejan de parecer bastante despistadas. También opuestamente a cierto feminismo que podía leerse en *Lady Hunter*, aquí las mujeres por momentos juegan (de manera supuestamente inocente) con su sexualidad, para el regodeo de sus compañeros hombres. Hay una idea algo turbia, centrada en que las mujeres si bien son atractivas, también son algo torpes por esencia. En su valoración general, se puede decir que *Eyecatch Junction* es una comedia poco lograda y muy despareja (afortunadamente con el tiempo Miike se tomará revancha dentro de la comedia, obteniendo resultados mucho más efectivos).

Luego de dos películas para el V-Cinema, Miike inesperadamente regresa a la televisión con un extraño proyecto cuya temática jamás repetirá en su filmografía. Se trata de **Last Run: 100 Million Ten´s Worth of Love and Betrayal** (1992). El protagonista aquí es un antiguo corredor de coches llamado Morita, mejor conocido como Kamikaze Run. El expiloto es reclutado para participar como intermediario en una subasta de coches antiguos de colección. Por esto, Morita viaja a Italia, sitio en el que hará un agridulce recorrido por su pasado cuando se reencuentre con viejos amores y antiguas rivalidades, todas relaciones vinculadas, de una u otra manera, a la mencionada subasta cuya pieza central es un Ferrari 250 GTO de 1962. *Last Run* es una película difícil de clasificar dentro de la obra de Miike. Teniendo en cuenta el que a futuro sería el canon temático de Miike, cuesta encontrarle un casillero a este curioso film protagonizado por un hombre encerrado en los recuerdos de sus días de gloria. Pero no es la melancolía o la tristeza ante un presente amargo lo que contrasta con otros films de Miike, sino más bien la temática del largometraje, que gira sobre el mundo deportivo.

Si bien el acento no está puesto ni en las carreras ni en escenas grandilocuentes vinculadas a las competiciones automovilísticas, el mundo del deporte no será un eje que vuelva a repetirse en la obra de este director (algo que llama la atención, teniendo en cuenta el amor que Miike sintió de joven por las carreras de motos). De sus tres largometrajes iniciales, *Last Run* es el menos logrado. Los personajes están armados a trazo grueso, intentando forzar una empatía en el espectador que no llega a concretarse en ningún momento. Son criaturas sin matices, que sumadas a una puesta en escena excesivamente televisiva terminan por dar como resultado un pasquín tipo novela rosa que está cualitativamente muy debajo de las dos películas anteriores. Lo que menos funciona del largometraje, justamente, es el núcleo emocional del personaje, vinculado a su pasado y a la nostalgia que siente por él. A lo largo de los 95 minutos que dura *Last Run*, hay un forzado tono melancólico que nunca llega a conmover genuinamente, y que encuentra en el final su momento más torpe, cuando la película cierra con una escena

de lo más cursi, mientras de fondo suena una canción que repite una y otra vez el estribillo *Dreams come true*. El plano final de *Last Run,* que muestra a la pareja hamacándose en una playa, es una imagen que sí revela una nostalgia por la que Miike pareciera sentir genuino interés, y que en futuros (y mejores) films del director aparecerá reflejada con mayor fuerza.

La siguiente película de Miike es **Human Murder Weapon** (1992), también para el mercado del vídeo. La historia gira alrededor de un luchador llamado Karate Kid, que se ve forzado a participar en combates clandestinos. El guion, escrito por **Hisao Maki** y basado en el manga de **Ikki Kajiwara** y **Nobuo Nakano**, se convierte en una película poco efectiva. La estructura del film tiene que ver exclusivamente con las peleas, y poco importa el dilema de su protagonista. De esta primera tanda de films dirigidos por Miike, *Human Murder Weapon* es el más autoconsciente de su rol de producto de explotación. Los héroes y villanos son prácticamente caricaturescos, y si bien en otro contexto esto podría jugar en contra, aquí termina jugando más a favor, justamente por ese nivel de autoconciencia que tiene el largometraje. Lo absurdo de las peleas, lo trillado del conflicto y las maniqueas representaciones de los héroes y villanos, le sirven a Miike para acelerar a fondo y hacer de los combates el verdadero atractivo (haciendo hincapié en los enfrentamientos femeninos, excusa que le sirve al director para dejar a las mujeres prácticamente desnudas). Probablemente, el mayor defecto aquí sea el bajísimo presupuesto que se le otorgó (basta ver cinco minutos para notar esto) y que se tradujo en poquísimos escenarios y un juego constante de luces y sombras que permiten "disimular" la escasa cantidad de extras. El valor de esta película está puesto principalmente en la habilidad que Miike ya demostraba para plasmar su visión, aun cuando las herramientas de trabajo eran pocas.

Más allá de sus aciertos y errores, con estas cuatro películas iniciáticas Miike cierra una primera etapa caracterizada por un entusiasmo que anticipaba un talento desbordante, porque basta ver este cuarteto de films para advertir la habilidad con la que Miike podía "saltar" de un género al otro, demostrando una amplitud temática gigante, ítem que con el tiempo se convertiría en un característico rasgo de su filmografía.

De Bodyguard Kiba a Apocalypse of Carnage

Las siguientes películas dirigidas por Miike, de a poco ganan un piso de producción más sólido que el de sus anteriores films. Se trata de películas

más logradas, más prolijas desde su factura técnica, y cuyos ejes comienzan a emparentarse en mayor medida con muchas de las obsesiones que presentará este director en proyectos futuros. La quinta película de Miike se titula *Bodyguard Kiba* (1993), y es la primera parte de una trilogía. Basada en el manga de **Ikki Kajiwara** y **Ken Nakagusuku**, el guion de **Hisao Maki** presenta al Kiba del título como un experto luchador que es contratado por un yakuza de poca monta. El antiguo criminal, llamado Junpei, le robó a su banda 500 millones de yenes, y después de pasar cinco años en prisión, contrata a Kiba para que lo escolte hasta Okinawa con el objetivo de recuperar el dinero escondido. Para lograr su objetivo, el dúo deberá escapar de los antiguos compañeros de banda de Junpei. Una vez más, Miike se encuentra con un argumento que no presenta grandes dosis de originalidad, pero lo que en films anteriores se asomaba como el rostro de un tímido director que buscaba una identidad, aquí emerge con más fuerza, presentado un largometraje que se convierte en el primer film destacado de su carrera. Aunque apoyándose siempre en las escenas de acción, la galería de personajes en Kiba es de enorme atractivo, destacando en gran medida Junpei, el mediocre yakuza devenido a boxeador frustrado y que busca una redención a través del deporte. Por el lado de Kiba, aunque este sea un personaje mucho más chato, no deja de ser un héroe atractivo, que se maneja, como los héroes tradicionales del cine clásico, bajo un estricto código moral que no permite ningún tipo de fisura, envolviéndolo en un innegable aire de grandeza. Otro de los aspectos clave de Kiba es cómo Miike arma la idea de un grupo humano que debe unirse con el fin de lograr un objetivo determinado. Aunque en films anteriores ya había aparecido un grupo unido bajo un mismo estandarte (las policías de *Eyecatch Junction*, por ejemplo), aquí Miike logra trabajar mucho mejor los distintos aspectos de cada personaje y cómo se relacionan a través de sus diferencias. Aparte de Kiba y Junpei, se encuentran Maki y el detective de la policía okinawense. Maki es una aliada de Kiba; ella es un personaje femenino mucho más rico que los anteriores de Miike. Lejos de presentarla como un estereotipo o como una mujer torpe, Maki es construida como una joven luchadora que no le teme a las peleas cuerpo a cuerpo, y que puede pelear hombro a hombro con

Kiba. El detective de policía, que termina uniéndose al grupo por cuestiones de fuerza mayor, es retratado como un hombre testarudo cuyo máximo objetivo es, luego de derrotar a los yakuzas que persiguen a Junpei, poder medir sus fuerzas contra las de Kiba. Casi como un homenaje a los viejos films de acción, aquellos en los que el protagonista del título era apenas el disparador de una historia de la que no necesariamente era el protagonista, en *Bodyguard Kiba* el personaje más atractivo termina siendo el propio Junpei, que debe salir adelante en la batalla contra su antigua banda, y más difícil aún, que debe aceptar la traición de su gran amor. Kiba termina siendo testigo de una historia que lo tiene más como observador que como protagonista activo, pero eso no resiente el valor global del film, que se erige con facilidad como la primera gran película de Takashi Miike.

En octubre de 1993, Miike estrena un nuevo largometraje para el mercado de vídeo. Se trata de **We are not Angels**, segunda comedia de su carrera y una atractiva aproximación al género yakuza. El actor **Rikiya Yasuoka** (un hombre gigantesco, cuyo carisma lo convertirá en una estrella regular del clan Miike) interpreta a Jo, un exyakuza que sale de prisión con la idea de dejar atrás la mala vida. Con ese objetivo en mente, comienza a trabajar en una empresa de entregas a domicilio junto a Kenta, un viejo socio criminal que ahora viste de mujer, y con Chu, un antiguo ladrón que también intenta tomar la senda del bien. El grupo se completa con Eri, una bella motorista que trabajará en la misma empresa. Al igual que en **Kiba**, el eje está puesto entonces en el grupo de marginados que intenta llevar una vida normal, pero que constantemente se ve amenazada por sombras y errores del pasado. El tono de comedia en *We are not Angels* y la aceitada química del cuarteto permiten que el film fluya a la perfección. Utilizando un recurso similar al de *Eyecatch Junction*, donde la comedia nacía desde el ridículo de sus protagonistas, en este film la estructura se muestra muy similar, haciendo que el humor parta de las situaciones absurdas que envuelven a los protagonistas, y cómo a pesar de intentar llevar una vida "limpia", terminan viéndose enfrentados a una trama que involucra yakuzas y a una peligrosa secta. *We are not Angels* (cuyo título juega con la idea de un grupo de antiguos delincuentes que ahora visten gorras con alitas) es una comedia mucho más efectiva que la protagonizada por las mujeres policía, y vuelve a mostrar a un Miike que procura insuflarle aires renovados a un mercado tan limitado como es el del V-Cinema. Pero lo bueno no siempre dura, y a

solo dos meses del estreno de la primera parte, Takashi lanzó la secuela de *We are not Angels*. En esta continuación poco afortunada, el cuarteto protagónico se convierte en blanco de un peligroso asesino cuando decide investigar un hospital mental, luego de que Chu encontrara, en la suela de unos zapatos regalados, los negativos de unas fotografías que podrían revelar unos negocios turbios. Lejos de la frescura y originalidad de la primera parte, **We are not Angels 2** tiene una trama mucho

menos interesante, que termina por dejar un mal sabor de boca con respecto a una idea, que en el primer film, había funcionado de maravillas. Por suerte, el siguiente año Miike lo empezaría con un pie más firme.

Shinjuku Outlaw se estrena en octubre de 1994 para el mercado de vídeo y supone un nuevo escalón de calidad dentro de la obra de Miike, y una notable maduración dentro de su obra. En *Shinjuku Outlaw* el protagonista es un paria, un hombre solitario que no encuentra lugar de pertenencia y que intenta imponer sus propias reglas en un mundo caótico que será, una vez más, el de las mafias. El antihéroe es Yomi, un yakuza de Hiroshima que a pedido de un colega llamado Kazuyoshi, mata a un jefe rival, lo que termina constándole caer en un estado de coma que durará diez años. Cuando se despierta, Yomi encuentra que su mundo ha cambiado, y termina por reubicarse en Shinjuku. En esa ciudad, el protagonista entrará una vez más en el mundo de trampas y violencia que encierra la vida de los yakuzas. Lo primero que se debe destacar en *Shinjuku Outlaw* es el notorio avance cualitativo que este film implicó dentro de la obra de Miike. Muy lejos de ser una historia lineal, de pocos protagonistas o de personajes maniqueos, aquí Takashi cambia radicalmente para construir una historia llena de personajes tridimensionales, que muestran todo tipo de matices y con los que uno empatiza aun a pesar del rechazo inicial. La complejidad de la historia (que incluye traiciones, romances fracasados y mafias taiwanesas, entre otros tantos conflictos), sumada a la habilidad de Miike para armar a todos estos personajes (sin importar cuánto tiempo aparezcan en pantalla), augura el comienzo de un nuevo período de esplendor para el director japonés, un período que se terminará de asentar con el estreno de ***Shinjuku Triad Society*** (claro que para eso, todavía falta).

También en 1994, Miike estrena la segunda parte de *Bodyguard Kiba*, titulada ***Apocalypse of Carnage.*** Lamentablemente, esta secuela condensa varios de los vicios del V-Cinema, y si bien la primera película tenía un nivel de calidad considerable, aquí el personaje termina convertido en víctima de su propia popularidad, participando de una secuela totalmente innecesaria, que pierde la frescura que hacía de la primera parte un producto tan atractivo. El héroe del título vuelve, esta vez, para escoltar a una joven mujer hacia Taipei. Una vez allí, ambos se verán envueltos en una guerra que involucra a una banda liderada por un hombre llamado Wang, un viejo conocido de Daito, maestro de la escuela de artes marciales y hombre de referencia para Kiba. A partir de aquí, la película se sumergirá en una historia poco inspirada cuyo único objetivo será dar paso a las escenas de pelea, una estructura totalmente opuesta a la que tenía la primera parte de Kiba, donde si bien la trama no era de gran originalidad, al menos alcanzaba para generar en el espectador un mínimo de interés. *Bodyguard Kiba 2* muestra un claro retroceso en términos de calidad y es un excelente ejemplo sobre cómo los vicios del V-Cinema, en muchos casos, puede fagocitar el talento de un director.

De The Third Yakuza a Osaka Tough Guys

En el mes de enero de 1995, Miike estrena su décima película, que se convierte en su primera obra en llegar a las pantallas de cine (aunque tuviera una exhibición muy limitada). Se trata de **The Third Yakuza**, primera parte de una trilogía acerca de un astuto mafioso llamado Reijiro Masaki. Él es uno de los yakuzas más importante dentro del clan Daimon, rival de los clanes Todo y Takeda. Esas familias comienzan una guerra contra Daimon en la que Masaki tendrá un rol decisivo. Hay varios aspectos importantes que vale la pena destacar en *The Third Yakuza*, y uno de los más relevantes es que se trata del primer film que contiene elementos biográficos de Miike, no porque él haya sido un yakuza, sino más bien porque ese mundo estuvo muy presente durante su juventud. Si bien no es el primer film de yakuza que realiza el director, sí es el primero en el que las conspiraciones y traiciones tienen un rol primordial, quedando las escenas de violencia muy opacadas ante las infinitas intrigas que rodean al mundo comprendido por estos tres clanes. Otro aspecto importante en este film es la importancia que se le da a los "hombres comunes" que terminan involucrándose en la guerra yakuza. Varios amigos del protagonista son trabajadores que poco tienen que ver con la mafia, y ahí se encuentra otro elemento que permite comprender el entorno en el que Miike creció, en el que trabajadores comunes y corrientes terminaban involucrados en negocios sucios y recibiendo, en muchos casos, los daños colaterales de esas guerras (un aspecto que Miike reforzará aún más en la segunda parte de esta saga). Después de su debut en cine, al poco tiempo y también en 1995, Miike estrena un nuevo film en el mercado del V-Cinema. Se trata de **Bodyguard Kiba 3** (también conocida *como* **Combat Apocalypse 2**), última entrega de una trilogía que a estas alturas estaba notablemente desgastada. Aquí el guante como protagonista lo recoge Ryo, otro luchador que había sido presentado en *Bodyguard Kiba 2*. El héroe debe custodiar a una estrella taiwanesa de su antiguo agente, un hombre que desea ver a la artista muerta cueste lo que cueste. Una trama poco inspirada cuyo único objetivo era justificar escenas de pelea y alguna otra de sexo. Al igual que sucedía con la segunda entrega de esta saga, la calidad baja notablemente y se aleja mucho de la interesante propuesta que suponía

el primer film, en el que se notaban ciertos elementos que a Miike le interesaban trabajar. En este punto de su carrera hay algo que llama la atención, y es que se hace cada vez más y más evidente que el mercado del vídeo, para Miike, comenzaba a hacerse demasiado pequeño. Los vicios tan típicos del V-Cinema y la imposición de ciertos conceptos trillados comenzaban a perder atractivo para Miike, y ese patio de juegos en el que supuestamente el director

podía explorar aristas menos convencionales se agotaba a una velocidad vertiginosa. La desgana que se intuye en muchas de estas películas mediocres solo se entiende como un signo de agotamiento frente a productos cuya única meta era la explotación. La obligación por realizar secuelas, lamentablemente, será una cruz que Miike cargue durante varios años de su carrera (aunque en una etapa posterior, sí habrá secuelas de gran calidad, que estarán años luz de ejemplos como el de *Bodyguard Kiba 3*).

Su última película en este período, sin embargo, será una mucho más interesante: *Osaka Tough Guys*, estrenada en 1995 y basada en el manga **Dokuman**, de **Tetsuo Inoue**. Los protagonistas son Makoto y Eiji, dos gamberros que son expulsados de su instituto por pésima conducta, y que luego de contestar un aviso clasificado en el diario, terminan trabajando para un clan yakuza de muy baja estofa. Con ese puntapié inicial, el film mostrará el caótico camino dentro de la yakuza que recorrerán ambos protagonistas. La película, sin ser una obra excepcional, resulta un gran hallazgo. El tono de comedia anárquica que tiene el film es dominado por Miike con una excelencia sublime, y demuestra una vez más que no hay género prohibibo para Takashi. La estructura de *Osaka Tough Guys* comienza siendo de episodios y cada uno de ellos va mostrando cómo los protagonistas se inician dentro del clan yakuza (lavando autos, haciendo guardia por la noche y todo tipo de tareas poco glamurosas). En el film también es obligatorio volver a destacar a **Rikiya Yasuoka** en la piel de Taijo. Él es un matón de unos dos metros que representa el brazo fuerte dentro de ese clan yakuza, siendo el timón desde el cual Miike encausará el costado más anárquico del film, al hacer que el personaje pase de ser un actor porno enmascarado, por ejemplo, hasta protagonizar un clip musical de tintes románticos, una secuencia que justamente será una de las primeras experimentaciones formales que Takashi realice en esta etapa de su carrera. Los protagonistas de la película, Makoto y Eiji, son dos personajes con los que no cuesta demasiado empatizar, y a los que se les coge cariño desde la primera escena, en la que salvan a una dama en apuros (jugando quizá, a la posibilidad de que ambos sean unos héroes clásicos, atrapados dentro de los vicios modernos). Por último, es notable el lugar que ocupa la historia de amor y la facilidad con la que Miike logra saltar del tono absurdo a otro mucho más intimista. Makoto, desde el comienzo de la película, vela por la seguridad de Keiko, la chica a la que salva en la primera escena. Luego de rescatarla de una violación en el set de una película porno, Makoto enamora a la muchacha y juntos hacen el amor por primera vez. Es un momento cálido, con una puesta en escena conducida por una cámara tímida, que pareciera espiar una escena de cama protagonizada por dos amantes reales. Y llama la atención que este momento, cuyo tono no tiene nada que ver con el resto del absurdo que domina al film, no hace ruido en absoluto, convirtiéndose en la única escena cálida de sexo que Miike tendrá a lo largo de toda su filmografía. *Osaka Tough Guys*, como parodia del mundo yakuza, se convierte así en otro antecedente que augura el talento desbordante de un director que ya era un vehículo todoterreno.

Shinjuku Triad Society

En agosto de 1995, Miike estrena en cines *Shijuku Triad Society* (conocida también en algunos sitios como *China Mafia War*). Aunque se trata de su segundo film para la pantalla grande, hay que mencionar que esta película fue desde su inicio pensada para ese formato, ya que *The Third Yakuza*, aunque tuvo una limitada distribución en cines, había sido rodada para el V-Cinema. Sin lugar a dudas, *Shinjuku* marca un punto de quiebre radical dentro de la filmografía de Miike. Lo más importante a destacar es que si bien el realizador, en esta instancia, ya había hecho doce largometrajes, en *Shinjuku Triad Society* logra liberarse con pasmosa facilidad de todos los vicios propios del V-Cinema. Aquí Miike no necesita escenas de sexo gratuitas, y la violencia, si bien está presente, no tiene que ver con un efectismo barato, sino con construir con precisión el mundo en el que están sumergidos los personajes de este relato. *Shinjuku* es la prueba concreta de que el paso al cine era necesario para que Miike terminara de cosecharse a sí mismo como un director de un potencial gigantesco.

La trama del largometraje gira alrededor de la investigación llevada a cabo por el policía Tatsuhito, que debe atrapar a una tríada liderada por Wang. El protagonista, descendiente de chino y japonés, tiene un interés especial en encarcelar a ese grupo, porque para ellos trabaja un joven abogado, que es su hermano menor. La violenta investigación se llevará a cabo en un marco totalmente criminal, que involucra el negocio de la prostitución masculina, la venta de drogas y el tráfico ilegal de órganos humanos. En la búsqueda por atrapar al jefe de la mafia china, Tatsuhito terminará conectándose con sus padres (ancianos y enfermos), y con su mitad china. En este punto, Miike hace uso del conocido *McGuffin* **hitchcockiano** para llevar adelante la historia que a él más le interesa, porque en varios aspectos, la investigación del policía no es más que una excusa para hablar

sobre la importancia de la herencia cultural, los lazos familiares y la eterna melancolía tan presente en los personajes de Miike, que viven sometidos por los recuerdos de una infancia como el paraíso perdido e irrecuperable. Tatsuhito, y este es el verdadero drama del personaje, entiende su linaje chino cuando viaja a Taiwán. Allí, y con la ayuda de un policía local, investiga un hospital vinculado con Wang, pero también se sumerge en su propia herencia y su propio dolor. Pareciera que esta China reflejada en el film se convierte en un lugar extraño para él, quizá tan extraño como su ciudad.

De esa manera, Tatsuhito se comprende como un huérfano absoluto, un desterrado que busca desesperadamente componer un núcleo familiar al cual pertenecer. *Shinjuku Triad Society* también toca el tema de la migración china en Japón, una cuestión que Miike ya había abordado en films previos pero de una manera mucho más indirecta. Esa microsociedad china que habita en esa ciudad es representada por Miike como un organismo vivo. La Shinjuku de Takashi es un barrio con vida propia, es un lugar que tiene su propia fauna y es justamente por ese motivo que el policía, en muchas partes de la película, termina perdiendo protagonismo en comparación a los mil delincuentes que pueblan las calles de ese sitio y que, en más de un aspecto, son los verdaderos dueños del lugar. El policía, para el director, es más un invasor que un integrante, porque él es un extraño cuya presencia altera la armonía (violenta) de ese lugar. Pero a pesar de ser un cuerpo extraño en esas calles vivas, Tatsuhito prosigue su cacería de Wang, hasta enfrentarse a él cuerpo a cuerpo en un espectacular duelo final. La pelea entre héroe y villano es descarnada, sangrienta y de lo más violenta. Es una pelea visceral, y mostrar a un Wang que pareciera estar poseído le sirve al espectador para comprender no solo la verdadera fuerza (espiritual y física) de ese monstruo, sino cómo el villano pareciera encarnar a la propia Shunjuku como una ciudad enferma que se niega a abandonar el statu quo que rige dentro de ella. Tatsuhito no solo pelea contra su pasado, sino también contra la propia ciudad y sus vicios. Para Takashi, *Shinjuku Triad Society* es, hasta el momento, su proyecto más ambicioso y el que mejor resultado tuvo. Miike supo mezclar aspectos que le son muy conocidos (el submundo de la criminalidad) para sazonarlo con el verdadero núcleo del drama: el relato de un hombre en la búsqueda de su propio origen. Aunque sus primeras armas las forjara en el V-Cinema, Miike demostraba con este film que la pantalla gigante no le quedaba pequeña en absoluto.

De The Third Yakuza 2 a Young Thugs: Innocent Blood

Luego de un auspicioso segundo estreno en salas comerciales, Miike vuelve al V-Cinema para estrenar un puñado de películas que se convierten en las últimas que el realizador haga para ese mercado. En enero y marzo de 1996, Takashi estrena los capítulos dos y tres de *The Third Yakuza*, cerrando la trilogía sobre mafias protagonizada por Masaki. Aunque muchos coinciden en que el primer episodio es el más logrado de esta trilogía, esta segunda parte es de una calidad notable y poco tiene que envidiarle a muchos triunfos posteriores de Miike, siendo quizá de las últimas grandes obras del director para el mercado del vídeo. Apoyado en el enorme carisma de su protagonista, esta secuela retoma exactamente donde había quedado la primera parte: con Masaki aceptando una posición de privilegio dentro del clan Todo, antiguo rival de su propio grupo. Como es de esperar, la trama girará en torno a los recelos que despierta entre los hombres de Todo el que un antiguo enemigo haya pasado a ser uno de los jefes. Masaki deberá aguantar estoicamente los ataques directos e indirectos, apoyándose en un grupo surgido del seno de la sociedad obrera y que poco tiene que ver con la yakuza. Al igual que sucedía en la primera parte de esta trilogía, Miike pone el acento no solo en el mundo de estos mafiosos, sino también en las personas comunes y corrientes que se vinculan con la yakuza. Masaki forma un grupo mutante, imposible de calificar y totalmente inesperado dentro de una película de esta línea. Entre otros, algunos de los acompañantes de Masaki serán una travesti experta en el combate cuerpo a cuerpo, un periodista y un médico, todos ellos con un sentido de lealtad hacia Masaki debido a algún viejo favor. Muy lejos de las películas de mafia americanas, donde los favores a los mafiosos se hacen por miedo u obligación, aquí los personajes le deben a Masaki una lealtad genuina, que nada tiene que ver con amenazas, sino con una forma de retribución real, lo cual habla también de la manera en la que Miike entiende la figura del yakuza. Estos personajes, incluso, sirven muchas veces como breves pies de comedia en un film de un tono muy duro. Por último: en *The Third Yakuza 2* es importante la aparición del sexo como herramienta de sometimiento. Hasta el momento, en las películas de Miike la presencia del sexo muchas veces tenía que ver con hacer una escena cuyo fin fuera principalmente recreativo, y de satisfacer al público que buscara desnudos femeninos; pero aquí, el sexo aparece como una herramienta de manipulación y no como una forma de recreación o una representación del amor de pareja (como sucedía en *Osaka Tough Guys*).

A los tres meses, Takashi estrena **The Third Yakuza 3**, última entrega de la trilogía, que lamentablemente nos devuelve a un Miike mucho menos interesante. Aquí la acción comienza desde el asesinato de Soma, uno de los yakuzas que había sido eliminado en la anterior parte. A partir de ahí, comienza la construcción de esta nueva historia que pone punto final a la saga de Masaki, en la que nuevamente muchos personajes laterales tendrán una importancia capital. Pero este film, desafortunadamente, peca de los

mismos vicios que tuvieron otras secuelas dirigidas por Miike, como en la saga de *Bodyguard Kiba* o en *We are not Angels*, lo que significa una repetición de esquemas, presentación de personajes nuevos que generan poco interés y una fuerte sensación de estar viendo nuevamente la misma historia, pero con ligeros retoques en su superficie. Aunque las primeras dos partes son muy buenas, lamentablemente la saga de Masaki cierra su camino con un último episodio que ubica al personaje como cabeza de un clan yakuza, pero protagonizando uno de los films más mediocres dentro de la obra de Miike.

Una vez más para el mercado del vídeo, *Ambition Without Honor* se convierte en el tercer largometraje que Miike estrena en su prolífero 1996. Ya desde su título se produce una asociación inmediata con el cine de **Kinji Fukasaku**, padre espiritual e influencia más que clara para el cine de Takashi. La historia de *Ambition Without Honor* es la de Tetsuya, un joven de 17 años cuyo máximo sueño es convertirse en yakuza. Por ese motivo, obedece una orden proveniente de la familia Shiramatsu que consiste en matar al jefe del clan Tamazawa. Tetsuya cumple su objetivo pero es enviado a la cárcel durante siete años. A su salida, el joven cree haberse ganado un lugar de preponderancia dentro del clan Shiramatsu, pero se encuentra con que ambas familias están en tregua, y que incorporar a Tetsuya a sus filas podría generar roces con los Tamazawa. Decidido a no bajar los brazos en su sueño para convertirse en yakuza, Tetsuya monta una pequeña pandilla junto a sus amigos y su novia, y comienza a gastar a los hombres de Shiramatsu todo tipo de bromas pesadas. Poco a poco, la situación comienza a hacerse más y más peligrosa, al punto que el sueño del protagonista termina convirtiéndose en un verdadero baño de sangre que lo llevará a enfrentarse a muerte contra el propio jefe del clan del que pretendió formar parte. Básicamente, el eje de *Ambition Without Honor* está puesto en Tetsuya. A través de él, Miike construye una historia de yakuzas que si bien al principio tiene tintes muy lúdicos, termina siendo un verdadero drama. Tetsuya encarna a la perfección una de las constantes más fuertes del cine de Miike: la idea de un hombre sin raíces, que vive para concretar un sueño, pero que en ese afán por concretarlo, termina enajenado de la realidad, al punto de poner en peligro a sus seres queridos. Para Miike, uno de los peores aspectos que puede tener un ser humano es la falta de profesionalismo. Los individuos que no logran comprender sus límites y sus posibilidades son los que arrastran a los demás a una espiral de violencia sin sentido, y esto es exactamente lo que sucede con Tetsuya. El muchacho tiene a su alrededor un grupo de personas que procura cuidarlo y alejarlo del camino de la yakuza, pero la ironía es que mientras Tetsuya cree ver en la mafia su única posibilidad de ingresar en un círculo de pertenencia, su propia familia (su novia, su padre desde las sombras, e incluso sus amigos) intenta preservarlo, dejando en esa tarea su propia vida. El título del largometraje, si bien como se mencionó tiene un innegable eco a la obra de Fukasaku, también tiene un aspecto que se contradice con respecto a la figura predominante que hay de la yakuza. En muchos sentidos y por muchos directores, la mafia japonesa fue representada como una organización estructurada a partir del honor, del respeto y de la lealtad (esto tuvo que ver, según dicen las malas lenguas, porque en un comienzo los propios yakuzas eran los que financiaban estos films, y ellos amaban verse reflejados como individuos que continuaban la tradición de los honorables samuráis). Si bien está claro que se trata de delincuentes, hay en ellos un fuerte compromiso hacia su clan y hacia sus

superiores. Incluso el mismo Miike en muchas de sus películas los retrata de esa forma. Pero aquí, esa "ambición sin honor" del título, aunque podría hacer referencia a Tetsuya, pareciera en realidad estar dedicada al jefe de la familia Shiramatsu, un verdadero canalla que siente por el joven Tetsuya un desprecio total y absoluto, aun a pesar de que el joven pagó con siete años de prisión una tarea cuyos únicos beneficiarios fueron los de Shiramatsu. Esa ambición, en este caso, es la del jefe yakuza y su falta de moral a la hora de ascender en el escalafón mafioso. Tetsuya, por otra parte, madura a partir del sufrimiento y se convierte en un hombre con un estricto sentido del honor, un honor que termina convirtiéndolo en algo mucho más importante que simplemente ser un yakuza.

La última película que Miike estrenó en 1996 es *Peanuts*, otro de sus films menos logrados. Los protagonistas de la película son **Koyo Maeda** y el gran **Riki Takeuchi** (un actor que aquí debuta bajo las órdenes de Miike y que pronto se convertiría en cara habitual de su filmografía). Ambos actores encarnan a dos hermanos poco espabilados pero con un relativo sentido de la justicia. Son dos "bon vivant" en traje y sombrero, que siempre terminan involucrados en asuntos con la yakuza. *Peanuts* tiene desde su comienzo una diferencia que la distancia prácticamente de todas las otras películas de Miike (pasadas y futuras), y es que su estructura está apoyada en segmentos claramente divisibles. El film contiene en sus casi 90 minutos de duración tres historias que están hilvanadas de manera algo arbitraria, pero el principal problema de la película es que Miike parece jamás encontrarle el tono justo. *Peanuts* por momentos parece una comedia pícara con desnudos, para luego pasar a ser una parodia yakuza en la línea de *We are no Angels*, terminando en una escena de acción que no está muy lejos de lo visto en *Lady Hunter* o *Bodyguard Kiba*. Uno de los principales talentos de Miike, que consiste en la habilidad de saltar de un género al otro, respetando en todos los casos las convenciones y jugando a tensar hasta el límite lo "permitido" dentro de cada uno de esos mundos, aquí termina convirtiéndose en un punto en contra, ya que Takashi parece alternar de manera brusca los géneros, sin terminar de centrarse en ninguno. No hay justicia para estos protagonistas, porque ambos son personajes de gran carisma y merecían protagonizar muchas películas más, pero luego de los irregulares resultados de esta *Peanuts*, sus andanzas quedaron truncadas. Sin lugar a dudas, un film con más sombras que luces dentro de la abultada obra de Miike.

Con *The Way to Fight*, Miike comienza a despedirse del V-Cinema. Esta película, otra gran obra maestra de Miike, es la prueba irrefutable de algo que a estas alturas era una obviedad: el mercado del vídeo ya le quedaba pequeñísimo al director, y las inquietudes de este autor, su mundo visual y los complejos entramados emocionales de sus personajes estaban años luz de los chatos conflictos que eran norma en muchas cintas del V-Cinema. Desde su debut en *Eyecatch Junction* y *Lady Hunter*, Miike demostró desde el minuto cero que entendía los vicios propios de ese mercado y que su ingenio podía permitirle esquivar todos esos lugares comunes (con mejores o peores resultados, aunque en su gran mayoría siempre fueron buenos), y *The Way to Fight* tiene una complejidad que pide a gritos una pantalla gigante en la que estos enormes personajes puedan desparramar su carisma. *The Way to Fight* es la obra de un director dinámico, de un director con inquietudes, y es una película colmada de personajes con problemáticas emocionales fuertes. Miike se zambulle con total seguridad en la complicada mente de adolescentes, adultos y ancianos que integran este emotivo relato. La trama de la película puede contarse desde varios lugares (y ahí radica, justamente, su infinita riqueza narrativa), porque bien podría ser la historia de dos jóvenes luchadores que se conocen en la adolescencia y que compiten constantemente por definir quién de ellos es el más fuerte del instituto; pero también podría hacerse a un lado el aspecto violento del film y presentarlo como una historia de estudiantes protagonistas de un triángulo amoroso, detallando el proceso de maduración y el amargo paso de la juventud hacia una frustrante adultez. Cualquiera de esas descripciones podría ser correcta, porque aquí Miike elabora una historia compleja de personajes llenos de matices.

La película comienza en una noche cualquiera, en la que están por enfrentarse dos grandes luchadores en un evento de gran popularidad. Esa misma noche, un delincuente lo deja todo por ver esa pelea. La acción se interrumpe, y Miike vuelve a los setenta, momento en el que nos contará cómo fue la adolescencia de esos personajes, quiénes fueron y qué camino tenía predestinado cada uno de ellos. En el cine de Miike era común ver adultos desbordados de melancolía por una juventud que jamás se mostraba, pero aquí Miike hace el camino inverso: muestra la adolescencia y empapa al espectador de esa nostalgia agridulce ante el recuerdo de un período feliz que jamás volverá. Prácticamente las dos horas que dura la película, Takashi hace un muy elaborado retrato juvenil, el primero de su carrera (*Osaka Tough Guys* también era protagonizada por dos adolescentes, pero en un ritmo de comedia absurda que poco tenía que ver con la nostalgia). El comienzo del film tiene un tono casi costumbrista que está relacionado con mostrar el día a día de esos estudiantes, sus alegrías, sus pesares y las respectivas relaciones con sus complicadas familias. El tono casi lúdico de esta etapa poco a poco se va evaporando para dar paso a uno más trágico, en el que conflictos tan comunes como un amor no correspondido se convierten en verdaderos monstruos de infelicidad que abruman a los protagonistas. Pero la película avanza, y con una batalla campal gigantesca cierra la historia para volver a un ritmo más despreocupado, que deja a los espectadores con un buen sabor de boca. La madurez narrativa que demuestra Miike en este film (que incluso actúa en esta película interpretando a un hombre que es apuñalado), la habilidad con la que es capaz de presentar personajes tan amarrados a sus emociones, sin violar en absoluto el espíritu adolescente y sin necesidad de caer en la caricaturización, hace de esta película una de las grandes obras que este director ha realizado para el V-Cinema.

Miike abre el año 1997 con una de sus películas menos interesantes y, en gran medida, menos personales. Se trata de **Ambition Without Honor 2**, secuela del film centrado en Tetsuya, un joven empecinado con la idea de convertirse en yakuza. Como ya sucediera con *Bodyguard Kiba 3*, la secuela no está directamente relacionada con la idea de continuar una misma historia, sino con retomar una temática similar y conectar ambos films más por su temática que por la idea de continuar a rajatabla lo narrado en el capítulo previo. Aquí la acción comienza cuando el padre adoptivo de Tetsuya es apuñalado en las calles de su ciudad. Esto provoca que el joven vuelva a su lugar natal y se enfrente a los responsables del atentado. A partir de ahí, la saga familiar se hará más compleja y Tetsuya deberá enfrentar cuestiones familiares y delictivas por partes iguales. Pero lo cierto es que *Ambition Without Honor 2* no termina de cuajar, convirtiéndose en otra de las películas menos inspiradas del director.

La segunda película que Miike estrena en 1997 es **Young Thugs: Innocent Blood**, un film de una tónica muy similar a *The Way to Fight*, haciendo foco una vez más en un grupo de jóvenes protagonistas. Esta película es una rareza dentro de la filmografía de Miike, porque se trata de una secuela de un film que él no dirigió. La antecesora fue realizada por **Kazuyuku Izutsu** y estrenada en 1996. Seguramente, el interés de Takashi por esta película tuvo

que ver justamente con que aquí hay varios elementos que tienen que ver con su propio mundo, y estos personajes tienen aspectos que, como ya se ha señalado, están emparentados a personajes como los de *The Way to Fight* (incluso el actor **Kazuki Kitamura** está en ambas). En *Innocent Blood*, la historia comienza en el último día de clase, mostrando qué hacen los protagonistas en ese período de transición hacia la adultez, cómo eligen ganarse el pan y los sinsabores que implica muchas veces el verse sometidos a trabajos grises que no reportan ningún tipo de satisfacción personal. Es una película que refuerza muchísimo el aspecto más amargo del crecer pero en la que, a diferencia de *The Way to Fight*, casi no hay lugar para las sonrisas. En un tono decididamente amargo, esta película brinda la posibilidad de ver a un Miike alejado de la acción, de la comedia y del humor absurdo.

Innocent Blood, que está basada en el trabajo autobiográfico del escritor **Riichi Nakaba** (que hace en la película el papel del dueño del bar), se convierte en un film menor dentro de la filmografía de Miike, no porque se trate de una obra imperfecta, sino porque en las inevitables comparaciones termina empalideciendo con respecto a otros largometrajes que tocaron el mismo tema, pero de manera mucho más lograda.

Rainy Dog y Full Metal Yakuza

Prácticamente instalado en el mercado cinematográfico, Miike estrena en 1997 (en junio precisamente, justo una semana después de su anterior película) otra de sus grandes obras tempranas: ***Rainy Dog***. Se trata de una película amarga, donde una vez más la figura de un yakuza solitario le sirve al director como disparador para contar un nuevo tipo de historia y probar formas narrativas que antes no había utilizado. Lo primero que debe destacarse de *Rainy Dog* es que presenta un tipo de protagonista que si bien es un mafioso, no tiene absolutamente nada en común con los yakuzas que ya habían aparecido en la obra previa de Miike. El protagonista del título es Yuji, un yakuza exiliado en Taipéi, que se encarga de asesinar personas para un jefe local, y cuya forma de pago es la promesa de un pasaporte falso para irse de allí. A poco de comenzar el film, Yuji recibe la visita de una mujer que le deja a su cargo a un niño mudo de 11 años, diciéndole que él es el padre. De un momento para el otro, Yuji se encuentra con un niño que lo sigue constantemente y del que no tienen el mínimo interés por hacerse cargo. Como para complicar aún más el cuadro, Yuji contrata los servicios de una prostituta que terminará por conformar el modelo familiar según Miike. Pronto, los tres personajes deberán darse a la fuga cuando una peligrosa tríada comience a dar cacería a Yuji. Con una valija llena de dinero, el asesino, el niño llamado Chen, y Lily, la prostituta, comenzarán una agobiante escapatoria. Y en medio de toda la historia, como un elemento que oprime y somete a los personajes, se encuentra la lluvia. La Taipéi que refleja Miike es una ciudad de una lluvia constante, de una lluvia densa, que todo el tiempo pareciera golpear a los personajes y hundirlos anímicamente, quitándoles las ganas de vivir y de buscar una salida. Esa lluvia incesante es uno de los tantos elementos estéticos que Miike utilizó para este film, que sin lugar a dudas es uno de sus más cuidados con respecto a lo estético. Cada calle que recorren los protagonistas, cada mesa en la que comen y los lugares en los que viven, fueron pensados en absoluto detalle, porque el entorno en el que transcurre la historia habla más de estos personajes que sus propias acciones.

El título *Rainy Dog* también invoca directamente el espíritu de ***El Perro Rabioso,*** film realizado por **Akira Kuroswa** en 1949. En esa película, en la que el personaje interpretado por **Toshiro Mifune** era un policía al que le habían robado su arma, las calles de la Tokio de postguerra eran de enorme importancia para el

transcurrir de la acción. En *El Perro Rabioso*, Mifune está siempre vestido con un elegante traje blanco, otro elemento estético que lo hermana con Yuji, el protagonista de *Rainy Dog*. El yakuza, de ropas claras en una Taipéi oscura, caminando sigilosamente y cumpliendo con sus asesinatos de manera mecánica y metódica, remite también al personaje de **Alan Deloin** en **El Silencio de un Hombre**, esa gran película de **Jean-Pierre Melville** estrenada en 1967. Yuji, como Deloin, es un asesino atrapado en una rutina violenta que encierra una falsa sensación de seguridad, y en algún punto, ambos terminan siendo traicionados por sus propios jefes. Y también como el film de Melville, *Rainy Dog* tiene un carácter contemplativo, con una cámara que parece casi invisible y que busca retratar a sus protagonistas de manera casi intrusa. Los personajes del film, voluntaria o involuntariamente, parecen estar en la búsqueda de una familia, de un grupo humanos que los contenga o de un lugar al que poder llamar hogar. Es la vuelta al hombre sin raíces, la clase de antihéroe predilecta de Miike. El pequeño Chen, con seguridad, es el que mejor representa esta búsqueda y esta necesidad por un grupo familiar, y al que le toca en desgracia conocer a un padre que prácticamente lo ignora y lo deja durmiendo en la calle. Hay una escena que tiene mucho que ver con esta idea. Mientras busca comida en la basura, Chen encuentra un perro abandonado, lo adopta y pasa la noche con él. Por la mañana, cuando debe partir junto a su padre, el niño abandona al perro, pero antes de hacerlo, le rompe el collar. En esta escena hay una cuestión vinculada a que el niño, con esa acción, entiende que está liberando al perro de un dueño que no volverá. El perro mira a Chen esperando que vuelva, pero Chen le da la espalda, y al romper ese collar, simbólicamente lo libera para que pueda buscar una familia verdadera, que lo proteja y que lo cuide. El perro y el niño son seres abandonados que buscan desesperadamente el núcleo familiar, algo que según Miike jamás conseguirán. Inesperadamente, y en medio de esa desolación, surge de golpe un momento familiar. En el constante huir del trío protagónico,

terminan todos refugiados en el búnker de una playa. Cuando salen, el niño encuentra una moto tapada de arena. La prostituta, Chen y Yuji comienzan a desenterrarla casi como si fuera un juego, y los tres terminan andando en moto y sonriendo, bajo un espléndido día soleado. Ese será el único momento de alegría pura que Miike regale a sus protagonistas antes de devolverlos a la insoportable realidad de una ciudad inundada por la lluvia. *Rainy Dog* es una de las grandes películas de Takashi Miike, donde muestra un tipo de antihéroe que, de una u otra manera, volverá en futuros proyectos.

El último film que Miike estrena en 1997 (el cuarto de ese año) es **Full Metal Yakuza**, una relectura violenta de **Robocop** (1987), en la que un gángster frustrado de nombre Ken, después de morir a balazos junto a su propio jefe, termina siendo el conejillo de indias de un científico que logra convertirlo en un cyborg indestructible. De nuevo con vida, el yakuza decide tomar venganza y eliminar a la banda que lo mató a él y a su líder. Ahora Ken aprovechará su cuerpo indestructible para hacer justicia por su propia mano. Si bien la premisa del film (que al margen, comienza con una secuencia de títulos decorada al ritmo de un tango furioso) es de lo más atractiva, lamentablemente hay algo que queda a mitad de camino. Miike es un director que se mueve con comodidad a la hora de jugar con las reglas de los géneros, y el mundo de los yakuzas para él es de sobra conocido, pero la incursión de un cyborg en ese folclore es algo que no termina de convencer. Con un presupuesto que se intuye más bien bajo, los efectos de la película no logran generar el choque que Miike estaba buscando, y en varias escenas el exceso de sangre termina de hacer cómico lo que debía ser impactantes. A no confundir, muchas veces Miike juega con el ridículo para desequilibrar al espectador, siendo un director que comprende muy bien cómo burlarse del cliché y reformularlo, pero eso, aquí no lo logra. El cine cutre es muchas veces la materia prima de Takashi, los lugares comunes y los personajes estereotipados al máximo son herramientas con las que sabe hacer obras maestras, pero lamentablemente no es el caso de este film. Sí es importante destacar cómo el director comienza aquí a coquetear con el absurdo: las escenas de batalla, el nivel de gore que hay en cada pelea y el tono casi surrealista del final anteceden una característica que Miike perfeccionaría en el futuro, y que se convertiría en otro de los rasgos característicos de su cine. Quizá por eso *Full Metal Yakuza* puede entenderse como el cierre de una primera etapa dentro de la obra de este director. Por un lado, porque es el último film de un realizador inquieto, que necesitaba un cambio de aire antes de que su cine corriera el peligro de estancarse. El drama, la comedia y la violencia eran materias que Miike ya dominaba por completo, pero el absurdo y el surrealismo, no tanto. En una etapa posterior, Miike también lograría adueñarse de esos y otros estilos más. *Full Metal Yakuza*, aunque no logra ser una película redonda, es prueba irrefutable de que Miike no quería jamás hacer reposar su carrera y cómo constantemente buscaba nuevos senderos en los que ubicar su muy particular forma de narrar historias. Porque ante todo, Miike era, es y seguirá siendo, uno de los realizadores más inquietos del panorama cinematográfico mundial.

Capítulo 4

Escenas en el mar y Sonatine

Luego de dos films claramente vinculados a la violencia, **Kitano** decidió dar un giro radical en su obra y realizar una película totalmente alejada de los mundos protagonizados por yakuzas dementes o policías de mano dura. En 1991, Takeshi estrena su tercer largometraje: *Escenas en el mar*. El film trata sobre un joven sordo que decide darle la espalda a su trabajo como recolector de residuos y abrazar una incipiente pasión por el surf. Inspirado al ver una vieja tabla rota, Shigeru decide arreglarla y comenzar a practicar ese deporte. El muchacho insiste con su nueva afición, compra una nueva tabla y comienza a participar en distintos torneos, y aunque en un principio no muestra una facilidad nata, comienza a ganar experiencia y algo de habilidad. Pero entender la obsesión de Shigeru por ese deporte es casi imposible sin sumar en la ecuación a su novia, que constantemente lo acompaña en todo ese periplo deportivo, y que si bien por momentos parece invisible para el protagonista, no deja de ser un sostén imprescindible, incluso en el mismo final de la película, cuando ella queda como única superviviente de ese amor tan absoluto que fue el de la pareja, y el del surf.

Dentro de la filmografía de Kitano, *Escenas en el mar* es una película decididamente rupturista y que muestra al director como un hombre reflexivo, que puede alejarse de la violencia para construir una película reposada, cuyo eje son las obsesiones y el amor. Pero aunque a priori podría parecer complejo encontrar rastros del autor en esta tercera película, efectivamente

sí hay elementos propios de Kitano que se reflejan en el film, siendo el más importante de ellos la idea de los personajes y la importancia de sus rituales. Así como en **Violent Cop** el policía interpretado por Kitano encontraba en la violencia una forma de ritual, y el beisbolista amateur de **Boiling Point** practicaba ese deporte como una suerte de ritual social que le permitía integrarse a un grupo que parecía esquivarlo, aquí Shigeru hace del surf una razón de entusiasmo para una vida que se intuía apagada. El surf es para el protagonista el hilo conductor de una rutina gris, y la seriedad con la que se toma ese deporte tiene aspectos casi religiosos. Shigeru convierte en ritual no solo el hecho de montarse sobre la tabla, sino también las caminatas hacia la playa, el sentarse a observar a otros surfistas de mayor habilidad y el cuidar esa preciada herramienta; para Shigeru, el surf no comienza y termina en la playa, porque es un arte que lo acompaña durante cada minuto de su día a día. Y en ese estudiar constantemente cómo mejorarse a sí mismo, la novia de Shigeru es la fiel acompañante que se convierte en otra partícipe de esos rituales. En la obsesión de Shigeru, si bien hay algo de egocentrismo, también hay una necesidad de sentirse acompañado. Su novia, lejos de ser una mera

espectadora, se convierte en pieza esencial de ese nuevo mundo que el protagonista intenta armar para su propia vida. Aunque el final se presente amargo, y muchos puedan entenderlo como un golpe bajo, no deja de ser un cierre lógico para un personaje que con todas sus fuerzas intentó (y con éxito) convertirse en el héroe de una historia personal que parecía tenerlo relegado a un lugar secundario. El esfuerzo de Shigeru es el de entrar a un mundo que claramente no le corresponde, pero al que con el tiempo logra dominar. Ese premio que gana no deja de ser el símbolo de conquista de un mundo que le era ajeno, y el final de la película es el cierre lógico de una misión cumplida, porque la verdadera tragedia hubiera sido ver a Shigeru volviendo a poner como eje de su vida su empleo como recolector de basura (porque de hacer eso, el personaje hubiera involucionado invariablemente). Que su vida haya cambiado de manera tan radical y que Shigeru haya cumplido su objetivo es el verdadero premio que Kitano le da a su protagonista.

Por otra parte, hay un logradísimo trabajo de Kitano para mostrar el mundo a través de los sordos oídos de su protagonista. Takeshi elige un personaje sordo y construye una película cuyo universo sonoro se corresponde a esa sordera, y en esa arquitectura cumple una función esencial el compositor **Joe Hisaishi**, que a través de su música logra construir los sentimientos que envuelven a la pareja protagónica. *Escenas en el mar* es una de las obras injustamente menos celebradas de Takeshi Kitano, y una película que muestra a un director que, a ritmo de tren bala, hacía madurar su obra vertiginosamente.

En 1993, el director estrena *Sonatine*, una película que se pudo financiar vendiéndosela a los inversionistas como una especie de reversión de *Jungla de Cristal* (Die Hard, 1988), pero que terminó siendo una suerte de relectura del clásico de **Jean-Luc Godard** *Pierrot el Loco* (Pierrot le fou, 1965). **Sonatine** es el film que terminó de catapultar a Takeshi como autor cinematográfico y que le dio renombre internacional, convirtiéndolo en un referente ineludible del cine japonés actual no solo dentro de su país, sino también del mundo. El guion de Kitano se aleja diametralmente de los héroes tradicionales de acción hollywoodense, mostrándolo como un personaje/director cansado de un estilo de vida del cual parecía rehén, y aquí es donde la figura del realizador se comienza a confundir con la de su propio personaje dentro de la ficción. Según el propio Kitano, el nombre *Sonatine* hace referencia a cuando los estudiantes de piano, en sus comienzos, deben practicar distintos tipos de piezas, y cómo cuando adquieren el conocimiento básico de esas piezas es cuando finalmente alcanzan la sonatina. Eso no significa que sean expertos, pero sí que tienen la primera etapa de su aprendizaje superada. Obviamente, este concepto se relaciona con el Kitano director y el Kitano personaje de este film. Para el Kitano director, podría decirse que esta es la que considera su primera película profesional, y del Kitano personaje podría decirse que su deseo de abandonar la yakuza es lo que podría llevarlo a un nuevo estado físico y mental. Aunque las películas previas de Kitano, sin lugar a duda, son films absolutamente logrados y totalmente profesionales, para Kitano *Sonatine* es la concreción de una pieza en la que puede plasmar una idea que ya venía trabajando previamente, y que tiene que ver con la mencionada necesidad de descansar de una rutina agobiante.

La trama del film gira alrededor de Murakawa (interpretado por Kitano), un yakuza al que envían a Okinawa para mediar en una incipiente guerra entre dos clanes. Murakawa sospecha que esa estrategia es simplemente una idea de su jefe para eliminarlo, pero aun así debe cumplir con su deber. Una vez en Okinawa, el yakuza es emboscado junto a su grupo en un bar, atentado del que logra salir con vida. Junto a otros miembros de su clan, Mukarawa se refugia en una casa de la costa, a la espera de que

todo se tranquilice y los clanes en guerra puedan pactar una tregua. Es justamente a partir de ese momento cuando la verdadera esencia de Kitano (como director y como Murakawa) sale a la luz. En esta eterna espera que significa estar en la playa, el grupo yakuza comienza a aniñarse y a jugar todo tipo de bromas con el objetivo de hacer más ameno el tiempo. Apenas llegan a ese lugar, Murakawa juega a la ruleta rusa con dos de sus hombres. Él parece seguro pero sus colegas están asustados de perder la vida en un juego tan tonto. Finalmente nadie muere, y esos hombres descubren que durante todo ese tiempo Murakawa jugó con un revólver sin municiones. De esa manera, el yakuza parece decirles que los tiempos de violencia quedaron atrás, y que ahora entrarán en un mundo lúdico, en el que las reglas yakuza forman parte del pasado. De un comienzo que muestra tiroteos apagados, torturas frías y asesinos en piloto automático, Kitano adopta la playa como el marco del escape, y la vuelta a la infancia como el refugio de la cordura. Esos yakuzas, que en los primeros minutos de película eran hombres duros, se convierten en personajes juguetones, que disfrutan ese tiempo muerto como si fuera el receso de la jornada escolar. Murakawa es la evolución de otro personaje que interpretó el mismo Kitano en un film anterior: Uehara en **Boling Point**. Murakawa y Uehara tienen en común tres cosas: Primero, el ser yakuzas; segundo, el comprender la muerte prematura como algo inherente a ese estilo de vida, y tercero abrazar el comportamiento infantil como válvula de escape. Pero es en el tercer punto en el que ambos marcan una diferencia radical, porque donde Uehara es egoísta y caprichoso, Murakawa es bondadoso y benévolo, y donde Uehara es temerario, Murakawa es calculador. Ambos adoptan características infantiles, pero mientras que Uehara permite que su yo infantil domine cada segundo de su vida, Murakawa reprime constantemente ese deseo, y es ese el motivo por el cual su vida como yakuza lo frustra constantemente. La posibilidad de encontrar en esa playa un respiro a su cotidianeidad es el paraíso en el que

Murakawa puede darle rienda suelta a su infantilidad y contagiársela a los otros de su grupo. Esa playa, alejada de las presiones, es para Murakawa (y en última instancia, para el propio Kitano), el mundo perfecto. La otra gran diferencia que separa a ambos personajes es el trato con las mujeres y la sexualidad. Donde Uehara era mezquino y utilizaba el sexo como una moneda de cambio, Murakawa es respetuoso y entiende la sexualidad como algo alegre, divertido y afectuoso, casi como un vínculo sagrado. Estas comparaciones sirven para comprender cómo cambió, en muy pocos años, la personalidad de Kitano y cómo su forma de ver el mundo mutó junto a la de sus personajes. Uehara era despreocupado, en una época en la que Takeshi también lo era, y Murakawa es un personaje desbordado de angustia, en una época que para Kitano el agobio formaba parte de su vida. En este período, Kitano comenzó a beber más y más, y para muchos había en él una sensación de tristeza que parecía desbordarlo. El final de *Sonatine*, lamentablemente, significa el final del exilio para Murakawa. Cuando matan a su gente, el yakuza vuelve y decide matar a quienes hicieron de su vida un sitio infeliz. El hombre consigue matarlos a todos pero, a pesar de eso, concreta esa amarga fantasía que venía persiguiéndolo en sueños: el suicidio. Dentro de su auto, solo y mirando al mar, Murakawa termina con su vida de un tiro en la sien, y ese final amargo, trágico y desolado, vuelve a emparentarlo con Uehara. Para Kitano, ambos personajes, aun en sus diferencias, tuvieron por delante un destino bañado en sangre. Y a través de esta película, Takeshi vaticinaba el final de uno de sus períodos profesionales y emocionales más oscuros. Irónicamente, al momento de su estreno, *Sonatine* fue su película más celebrada, y contra las predicciones que la vaticinaban como un fracaso, el film se convirtió en una pieza que le otorgó al director enorme prestigio, y un muy aplaudido paso por el festival de Cannes de 1993. Pero esos laureles no le restaban presión y Kitano parecía sentirse dominado por la necesidad de inmolarse artísticamente.

Getting Any? y Kids Return

Después del éxito de *Sonatine*, Kitano volvió a necesitar reestructurar su carrera, y dio a luz una de sus películas malditas. Y cuando digo "maldita" no me refiero a la calidad, sino a su estatus de película menospreciada injustamente, al estar considerado uno de los films menores del artista. En 1994, Takeshi estrena ***Getting Any?***, una comedia tan perfecta como absurda, que lo devuelve a sus raíces cómicas. El título, que sería una forma burda de referirse al acto

sexual, adelanta el espíritu rebelde y revolucionario de la película. El protagonista es Asao (interpretado de manera espectacular por **Dankan**), un hombre de treinta y algo, cuyo único objetivo es acostarse con una señorita. Y en base a ese deseo, el protagonista ideará planes descabellados con los cuales, supuestamente, logrará su cometido. Así es cómo intentará primero comprar un auto, luego convertirse en actor, lo cual lo llevará a integrar a la yakuza, y luego a caer en manos de un científico (interpretado por el propio Kitano), que primero lo hará invisible y luego lo convertirá en el Hombre Mosca. Pero el mérito en *Getting Any?* es su carácter irrespetuoso, su necesidad de barrer con cualquier tipo de norma establecida en la comedia para desarticular por completo al chiste típico. Kitano sentía, al momento de escribir esta comedia, una necesidad de darle espacio a su mitad malvada: **Beat Takeshi**, o sea, su lado más vinculado al humor corrosivo. Desde su alejamiento de la televisión, el director había intentado autoconstruirse como un realizador cinematográfico serio, dueño de una mirada definida acerca de ciertos temas que podían ser recurrentes en su obra, o sea, Kitano se convertía en un autor cinematográfico. Pero con *Getting Any?* hubo un fuerte deseo de concretar un film de ruptura, que desencajara a sus espectadores para devolverlos a su período como humorista. En la película, Takashi utiliza una estructura episódica para llevar a su sufrido héroe a participar de varias sátiras, entre las que se incluyen *Lone Wolf and Cub* (el mítico manga de **Kazuo Koike** y **Goseki Kojima**), *Zatoichi*, *Los Cazafantasmas*, el film *La Mosca* (de David Cronenberg), el cine de **Seijun Suzuki** y hasta los monstruos en la línea del histórico **Godzilla**. Pero lo más valioso es que *Getting Any?* es una película que se ríe por el solo placer de reírse, sin buscar en su contenido ningún tipo de lectura ideológica ni política. Si el séptimo arte fuera una ciudad, *Getting Any?* sería un **Mothra** gigantesco que llega para aplastarla con el solo fin de divertirse, porque Kitano quiere destruir el cine a través del humor porque eso le divierte, así de sencillo.

Hay varias anécdotas sobre cómo distintos críticos cinematográficos internacionales creyeron ver en esta película tan anárquica algunos matices de crítica social hacia Japón, e incluso llegaron a consultarle a Kitano si esa pila

de estiércol en el que se sumerge la mosca gigante simbolizaba una supuesta decadencia de la Tokio moderna de ese momento. Kitano, simplemente, se murió de la risa al escuchar tamaño análisis. Cuando a comienzos del siglo veinte surgió el **dadaísmo**, se dice que sus artífices lo hicieron con el objetivo de divertirse, suponiendo que por solo exhibir un mingitorio en una galería de arte, el público iba a considerarlo instantáneamente una obra artística. El dadaísmo, para muchos, fue una broma de mal gusto cuyo único objetivo fue burlarse de los amantes del arte. Pues bien, *Getting Any?* tiene un aspecto dadaísta involuntario, porque si bien el film de Kitano fue realizado exclusivamente por el disfrute del humor, la película se volvió una pieza totalmente incomprendida, ya que críticos y espectadores en vez de relajarse y disfrutar de una comedia perfecta, se carcomían la cabeza buscándole sentido a una obra que no lo tenía. Al igual que hacía en sus días como Beat Takeshi, en esta película Kitano se convierte en una termita dispuesta a devorar desde las raíces a todos esos monstruos sagrados japoneses, para ensuciarlos en el barro y demostrar que no hay tópicos prohibidos ni tabúes de ninguna clase. Kitano arriesga un humor anárquico y totalmente absurdo al cual volvería más adelante, ya que para él, las comedias salvajes son como ritos de transición. Según el testimonio de algunos de sus conocidos, en esos años Kitano se había vuelto algo peligroso para sí mismo. Bebía mucho, fumaba mucho y no se cuidaba en absoluto. Al parecer, esa faceta de comedia desbocada había permitido el resurgir de su lado más oscuro. Y así fue como llegó el accidente.

En agosto de 1994, Kitano tuvo un grave accidente en scooter que lo llevó a estar internado durante casi dos meses. Su cara y su cráneo sufrieron lesiones gravísimas que lo llevaron al punto de perder sensibilidad y movilidad. Fue un momento coyuntural que le hizo replantearse su vida. Como una medalla trágica, tras ese accidente Kitano portaría un rostro que sería para siempre rehén de un tic nervioso, el recordatorio de una época colmada de excesos que lo llevó casi a la muerte. Kitano era a estas alturas una verdadera celebridad en Japón, y aunque el accidente casi lo deja sin vida, el director no estaba dispuesto a abandonar su carrera.

En el raid emocional y físico que le demandó su recuperación, Kitano asumió un doble desafío: no quedarse estancado debido a las imposibilidades físicas que debía enfrentar y demostrar a su público que su obra artística continuaría en movimiento. A pesar de las dificultades motrices que atravesaba, Takeshi decide seguir adelante con su nueva película, que esta vez adaptaría un libro que él mismo había escrito un tiempo atrás. Así es como en 1996 estrena su sexta película: *Kids Return*. Los protagonistas de la historia son Masaru y Shinji, dos jóvenes rebeldes que en

la escuela se dedican a hacer cualquier cosa que no sea estudiar. Por sus conflictivas conductas, pero unidos por una amistad inquebrantable, ambos empiezan a buscar qué hacer con su futuro, entendiendo que la educación jamás formará parte de sus planes. Así es cómo Masaru comienza a acercarse a un clan yakuza local, con la aspiración de convertirse algún día en un importante jefe mafioso. Por otra parte, Shinji descubre en el boxeo su verdadera habilidad y vocación. Ambos muchachos comenzaran entonces a seguir sus respectivos caminos, y si bien la distancia entre ambos se acrecentará, el afecto los reencontrará hacia el final de sus carreras.

Kids Return, aunque tiene un innegable halo de tristeza y melancolía, no deja de ser una película esperanzadora. La situación personal de Kitano (que por esos años, tras el accidente, comenzó a pintar por hobby) le demandaba una enorme necesidad de seguir en movimiento, de sentir que ni aun golpeado iba a ser derrotado definitivamente, y justamente esa es la idea detrás de esta película. A lo largo de sus caminos, Masaru y Shinji hacen un recorrido similar, que es el típico de muchas películas; ambos comienzan tímidamente a mejorar en lo suyo, luego tienen un pico de gloria, pero por negligencias, los dos terminan fracasando de manera dolorosa. Es significativo el final de la película, cuando se reencuentran en el patio de su antiguo colegio y andan en bicicleta de la misma forma en que lo hacían cuando eran jóvenes, y Masaru dice *no hemos ni empezado*. Esa frase y esa escena encierran la necesidad del propio Kitano de sentir que, a pesar del accidente que sufrió, su vida profesional no por eso estaba acabada para siempre. Al igual que el propio Shinji, que en vez de atender el boxeo se dejó llevar por las malas influencias y sepultó así una exitosa carrera profesional, Kitano entiende que sus personajes no tienen por qué aceptar la derrota como algo definitivo. Si bien el dúo de protagonistas sufre, Takeshi comprende que nunca está dicha la última palabra.

Otro aspecto que llama la atención en *Kids Return* es la figura de los adultos en contraposición con los jóvenes. El mundo de los adultos según Kitano (que a estas alturas tenía 39 años, por lo que claramente ya no era ningún

muchachito) se divide en dos grandes grupos: los que consideran que la juventud está irremediablemente perdida (la escena en el aula de profesores conversando sobre qué estudiantes irán a la universidad pública es prueba de esto), y por el otro lado, un minúsculo grupo que tiene una fe verdadera en la juventud (encarnado este grupo, casi exclusivamente, por el veterano entrenador de Shinji). Pero en general, los adultos son influencias negativas, o factores nocivos para los jóvenes, y así es como Kitano entiende que los principales artífices de su propio destino son siempre esos jóvenes que toman malas decisiones. *Kids Return*, tomando en cuenta el contexto en el que Takeshi la escribió y dirigió, parece ser un *mea culpa* por las decisiones que, el propio director siente, no fueron las correctas. Es una película en la que intenta expiar los pecados y excesos de su pasado, de cara a un futuro incierto. *Kids Return* se convirtió en un gran éxito en Japón, y

aunque internacionalmente no fue demasiado celebrada, esta película demostró no solo que Kitano seguía de pie y peleando, sino que la conexión con el público no se había perdido.

Hana-Bi: Flores de fuego

En 1997, Kitano estrena su siguiente film: **Hana-Bi: Flores de fuego**, y ya sin lugar a dudas se corona como uno de los directores cinematográficos más grandes de su época. A solo un año de *Kids Return*, Kitano lanza este nuevo film que nuevamente se convierte en una suerte de largometraje catártico para el autor. *Hana-Bi* tiene dos protagonistas: los policías Nishi (interpretado por Takeshi) y Horibe. Ambos son grandes policías y amigos, a pesar de que Nishi sea marcadamente violento e impredecible. La raíz de la violencia en ese personaje puede que esté relacionada con dos tragedias que lo golpearon: por un lado, su hija falleció, y por el otro, su mujer está muriendo víctima de leucemia. Como muchos personajes que Kitano escribe e interpreta, Nishi pareciera estar desbordado, su vida lo frustra constantemente, y cargar con el dolor de una esposa enferma y una hija muerta resulta una mochila demasiado pesada. Y esa carga emocional se potencia cuando en una investigación, Horibe recibe un disparo que lo deja postrado en una silla de ruedas. Ese incidente es para Nishi la gota que colma el vaso. Pero el policía, lejos de explotar en una orgía de violencia y sangre, simplemente se va. Como los héroes típicos de Kitano, Nishi da vuelta la página y abandona esa vida que lo hace sentir miserable. Decide renunciar a la policía, va a buscar a su mujer al hospital y se embarca junto a ella en un viaje de descanso que, obviamente, encontrará a una playa como destino final. Por su parte, Harube deberá reencontrarse a sí mismo en esa silla de ruedas, y en esa búsqueda encontrará en la pintura un nuevo incentivo. La playa, la pintura y la necesidad de empezar de nuevo son tres elementos que se reafirman aquí como constantes de Kitano. De estas tres, la que comenzará a partir de aquí como una forma de arte que estará siempre

49

presente en la obra del director es la pintura, una actividad que al propio Takeshi le permitió avanzar emocionalmente cuando se encontraba postrado, luego del accidente que casi le cuesta la vida. Al igual que Harube, Kitano ve en la pintura una forma de expresarse, de combatir la frustración y esa idea de que la vida parece acabada. De hecho, la simbiosis entre el propio director y sus personajes es tan grande, que las pinturas que realiza Harube a lo largo del film son en realidad obra del propio Kitano. Pero volviendo a Nishi, ese personaje también se muestra como otra cara del director. De los protagonistas planteados por Kitano, este es el primero que tiene una familia establecida, y también es el primero que lucha por mantener firme un vínculo condenado a desaparecer, pero a diferencia del Murakawa de *Sonatine*, que pretendía hacer de esa playa el paraíso eterno, aquí Nishi comprende que cualquier paraíso anhelado será siempre efímero, dado que la enfermedad de su mujer, tarde o temprano, la matará. En su viaje, Nishi también elige escapar de los residuos de su vida pasada. Aquí, el personaje es acosado por miembros de una yakuza a quienes les debe dinero, pero ese problema lo resolverá a fuerza de violencia, siendo esos los únicos momentos en los que Nishi volverá a ser quien era. En *Hana-Bi*, el verdadero acento está puesto, justamente, en un redescubrirse por parte de ambos personajes, en la necesidad de encontrarle un sentido a la nueva etapa que les toca vivir.

Por otra parte, es muy importante cómo Kitano demuestra, con *Hana-Bi*, su interés por reelaborar su puesta en escena. En *Violent Cop* o *Boling Point*, Takeshi no movía la cámara, los travellings eran prácticamente inexistentes e, incluso, la música poco aparecía. Lo más llamativo es que parecía no interesarle, y esto es algo lógico teniendo en cuenta su origen televisivo, donde muchas veces la cámara se limita a acompañar la acción, más que a construirla. Pero con la llegada de sus siguientes películas, Takeshi comprendió que la cámara (al igual que el montaje, su gran amor) es una herramienta que, bien utilizada, tiene recursos infinitos. Así fue como poco a poco, el director comenzó a mover la cámara y a construir verdades filmadas que en sus comienzos no se animaba a hacer. En *Hana-Bi*, esa imaginación cinematográfica encuentra un pico de calidad enorme, y en la puesta en escena recae mucha de la violencia contenida que esconde el personaje de Nishi. Kitano sabe cuándo y cómo mostrar los asesinatos que transcurren en *Hana-Bi*. La muerte del yakuza dentro del coche, que Kitano filma con un plano cenital y mostrando solo el fogonazo del disparo, es acompañando por un travelling circular, una decisión que remite a la famosa frase *godardiana "el travelling es una cuestión de moral"*. En este sentido, el final de la película es emblemático. Esos dos disparos (uno para su mujer y otro para él mismo), que cortan la pieza musical de Joe Hisaishi y que parecen cerrar la historia con un final piadoso para el espectador, es el golpe de realidad cinematográfico de Kitano hacia sus espectadores. Terminar la película con la mirada inocente de una niña en la playa (que dicho sea de paso, es la hija de Kitano) termina siendo el ADN de este director, que cierra con ese plano una primera etapa dentro de su carrera, una etapa en la que no hubo concesiones y en la que Takeshi se dio el placer de hacer el cine que más le interesaba. Abofetear al espectador luego de ese homicidio seguido de suicidio es casi como decirle que si bien la vida apesta, y si bien esa utopía playera jamás logrará sostenerse en el tiempo, la vida continúa, y todos los individuos deben aprender a reconstruirse desde sus cenizas, como le sucede a Harube en su silla de ruedas y como le sucedía en ese momento a Kitano con su accidente en moto. Desde *Violent Cop* hasta *Hana-Bi*, Kitano exploró su propia mente con una cámara en la mano y utilizó el cine como catarsis de todas sus angustias y miserias. Kitano continuaría explorando su pasado y reflexionando sobre su presente, seguiría también encontrando en el cine de género una herramienta indispensable, pero con el suicidio de Nishi, la búsqueda del paraíso perdido comenzaría a mutar hacia otros mundos cinematográficos.

Capítulo 5

De The Bird People in China a Young Thugs: Nostalgia

Totalmente establecido en su rol como director cinematográfico, y prácticamente habiendo dejado atrás su etapa como director de vídeo, **Takashi Miike** comienza una nueva etapa dentro de su carrera en la que continúa apostando por nuevas formas cinematográficas, pero guardándole fidelidad a sus mundos y sus personajes. Y aunque los yakuzas siempre abundan, algunas de sus películas tomarán otros caminos y reflexionarán sobre otras cuestiones que no siempre están vinculadas a las venganzas o a los mundos violentos. Lo más importante sigue siendo que Miike es un director de una innegable vocación por experimentar constantemente caminos alternativos, y eso lo llevó a estrenar en 1998 uno de sus films más atípicos: *The Bird People in China*. Basada en la novela homónima de **Makoto Shiina**, la historia del film está centrada en Wada, un empleado de una importante empresa que se dirige a una pequeña aldea china en busca de un mineral precioso que podría reportar cuantiosas sumas de dinero a sus jefes. En el viaje, Wada es seguido por Ujiie, un yakuza cuyo clan tiene vínculos de negocios con esa empresa, y que se une a la fuerza al viaje con el fin de asegurarse que su clan reciba una tajada del negocio. Así es como ambos terminan juntos en China: el yakuza, un hombreo hosco y de pocas pulgas, y Wada, un joven sofisticado que lleva consigo la inteligencia y los recursos

del hombre de ciudad. Pero cuando llegan al pequeño poblado chino, la vida de ese sitio los hará cambiar de idea y poco a poco ambos personajes se salpicarán de los efectos de la sencilla vida de pueblo, dejando atrás convicciones e ideas propias de las rutinas de la vida en ciudad. En esa villa, alejada de la sociedad, de sus vicios y sus miserias, vive un grupo de personas que encuentran en su humilde rutina una paz que para los hombres de ciudad parece casi extraterrestre. Y esas personas de aldea, con sus creencias y rituales, marcan un fuerte contrapunto, que poco a poco desnudará la verdadera esencia tanto del yakuza como del empresario. Aunque esta descripción puede sonar un poco a libro de autoayuda, lo cierto es que Takashi Miike intentó con *The Bird People in China* llevar adelante una fábula centrada en las debilidades de los hombres cosmopolitas, versus la sencillez de la gente de pueblo. Lejos del relato moralista o cargado de golpes bajos, el director acompaña a sus personajes y los exhibe no desde una crítica salvaje, sino desde un análisis que demuestra cómo los hombres supuestamente civilizados comienzan a dejar aflorar el animal interior al alejarse de la civilización. Desde la secuencia de montaje que inicia el film, Miike utiliza una sucesión veloz de imágenes aleatorias que muestran lo caótico de la vida moderna en una gran ciudad. En el segundo acto de la película, que se centra en el viaje hacia la aldea, los protagonistas desesperan al encontrarse en una tierra extraña, más la ansiedad que supone llegar a destino. Ese tramo de remite mucho a otra gran película: ***Aguirre, la cólera de Dios*** (1972), de **Werner Herzog**. Como aquella película protagonizada por un grupo de conquistadores que buscan desesperadamente la ciudad de El Dorado, aquí Wada y Ujiie, en su viaje por el río, encuentran a sus demonios personales, un suceso que pareciera estar a un paso de liquidarlos. Finalmente, cuando llegan al pueblo, ambos comienzan un paulatino intercambio de roles. El yakuza, a priori despiadado y dueño de un pensamiento mercenario, comprende la enormidad e importancia de esa vida rural, y ante todo comprende la necesidad de preservar ese mundo que se encuentra a salvo de los mezquinos intereses corporativos. Esos intereses, obviamente, son representados por Wada, el hombre racional y del primer mundo que, preso de una vida encorsetada, no logra apreciar la totalidad de ese pueblo como sí lo hace el yakuza. Y así es cómo estos personajes comienzan a abrazar sus propias convicciones, en un pueblo que sostiene un ritual simbólico en el que niños visten alas de juguete (como los gorros de los protagonistas de *We are no Angels*, y como luego también estarán en *Dead or Alive 2*, las alas son un símbolo recurrente en la obra de Miike). Wada, el hombre de negocios, finalmente entiende la importancia de ese lugar, pero las presiones de su moderna vida lo llevan a la amargura de tener que renunciar a esa felicidad, para entregarse nuevamente a una vida gris dedicada a las corporaciones.

El yakuza, aquel que parecía despiadado y sanguinario, se convierte en un verdadero hombre libre que puede dejar atrás su vida pasada e instalarse en ese pueblo, alejado del mundo moderno y sus supuestas comodidades; y así, una vez más, el cine de Miike versa sobre los hombres solitarios que buscan su lugar en el mundo. Esta vez, el yakuza se convierte en uno de los buenos, y Miike le regala un final relativamente feliz. El hombre de negocios, según Takashi, termina siendo el verdadero rehén de una vida moderna, que lo convierte en un esclavo de su época. El concepto en *The Bird People* in China es sencillo: las comodidades de las que podemos gozar en la ciudad son en realidad un placebo que nos oculta lo que verdaderamente importa, y la carrera empresarial por convertirse en un exitoso hombre de negocios no es más que una cortina de humo. Como se mencionó antes, *The Bird People in China* es una película mutante dentro de la filmografía de Miike, y decir eso de un director tan versátil no es poca cosa.

La siguiente película del realizador no es menos extraña que la anterior y demuestra una vez más la necesidad de recorrer caminos alternativos por los que no había transitado. Se trata de **Andromedia**, estrenada en julio de 1998 y otra prueba más de lo escurridiza que resulta la filmografía de Miike. Lejos de la provocación, lejos de la ultraviolencia o del relato yakuza, *Andromedia* es una película de amor típicamente adolescente, un género que Miike jamás había visitado hasta el momento. La protagonista es Mai, una joven chica que, tras darle al muchacho de sus sueños el primer beso, muere trági-camente al ser atropellada por un camión. El padre de Mai, un genio de las computadoras, logra descargar en su equipo la memoria de su hija y la traslada a su ordenador, resucitándola

en el plano virtual en el que, ahora, ella estará confinada. Como es de esperar, una oscura organización vinculada a la informática hará lo imposible por robar el programa que contiene a Mai, y para eso, lue-go de ejecutar al padre de la chica, decide perseguir a Yuu, el enamo-rado de la joven, quien custodia el portátil que sirve de hogar para su amor adolescente. El muchacho, junto a tres amigas, cargará con la computadora por cielo y tierra, custodiando a su amada y evitando que caiga en malas manos.

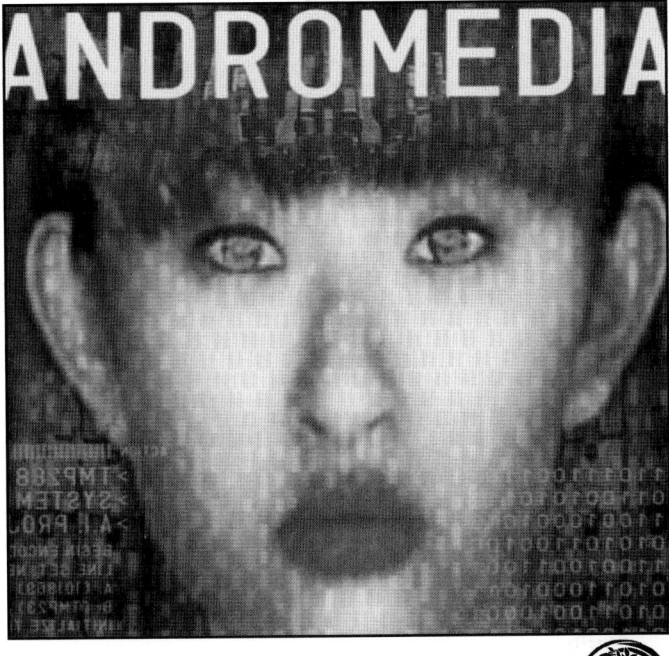

Inesperadamente, Miike apos-tó por dirigir un guion que, más allá de ser una obvia plataforma de po-pularidad para las estrellas pop que protagonizan la historia, poco tiene que ver con los condimentos típicos del cine de Takashi, complejizando su lugar de autor para ajustar su visión al esquema preestablecido en este tipo de films (que hasta incluye el clip pop obligatorio donde las estrellas musicales muestran su habilidad más rentable: cantar). Pero al igual que sucedía con sus primeras películas en vídeo, y si bien Takashi respeta los convencionalismos del género, el autor siempre brota de una u otra manera. En *Andromedia* hay un puñado de ideas que delatan la mano de Miike detrás del film, como por ejemplo un imaginario visual que vincula a esta película con el film ***Tetsuo, el hombre de hierro*** (1989), de **Shinya Tsukamoto**, un director muy admirado por Takashi Miike. En *Andromedia*, los tubos, cables y otros elementos decorativos muy propios del cyber punk, tienen una presencia casi constante, y muchas veces esos gruesos cables rodean a los personajes como si fueran tentáculos vivos. Incluso desde la propia trama, la idea de una persona viviendo dentro de una computadora está íntimamente ligada a un tópico muy común del cyber punk, donde lo orgánico y lo tecnológico borran los límites para convertirse casi en una misma cosa. Para muchos seguidores acérrimos de Miike, *Andromedia* representa un paso en falso, una película claramente hecha por encargo, y que nada tiene que ver con el mundo del autor. Pero lo cierto es que si analizáramos la filmografía de Miike prestándole atención solo a la cáscara, esa afirmación podría aplicársele a muchas películas de este autor. Es común entender a Takashi como un realizador abocado a los mundos yakuza y a la ultraviolencia, pero eso es un error. Su universo, como se ha señalado varias veces, tiene que ver con esos personajes que buscan una felicidad arrebatada, un mundo ideal que pareciera esquivarlos, o que experimentan una marcada nostalgia que los tortura. Y Yuu, el protagonista de *Andromedia*, es, en ese sentido, un nuevo paradigma del protagonista típico de Miike. Yuu experimentó la felicidad y sintió solo una vez los labios de su amada, antes que le fuera arrebatada y confinada a una computadora, y por muy cursi que esto parezca, es así de cierto. Es por eso que Yuu, empecinado en no abandonar a Mai, que dentro de su computadora adopta el nombre de Ai, intenta conservar el CPU por todos los medios, creyendo equivocadamente que de esa manera puede perpetuar una relación que ya está condenada a la muerte (y dicho al margen, el personaje de Ai parece esconder un homenaje a ***Video Girl Ai***, el manga de **Masakazu Katsura**, donde al revés que aquí, una chica destinada a vivir en un VHS cobra vida saltando de la pantalla). Yuu lucha por recuperar una relación que apenas duró un beso, y ese árbol de cerezo al que siempre vuelven los protagonistas se erige como el testimonio de una época feliz, de una época inocente y plena en la que ellos vivieron lo mejor de sus vidas. Puede que *Andromedia* parezca una novela adolescente, puede que *Andromedia* tenga clichés gastados y que incluso tenga canciones pop preparadas matemáticamente para convertirse en hit, pero a pesar de todo eso, *Andromedia* tiene elementos que claramente la inscriben en el universo de Miike y que la convierten en otra evidencia de lo gigantesco que puede ser el abanico temático de este director.

Su siguiente película de 1998 es ***Blues Harp***, un nuevo acercamiento al tópico del yakuza. Con esta película, Miike explora la figura de un mafioso

pero desde un ángulo vinculado a su sexualidad, otorgándoles a sus personajes un impulso amoroso casi adolescente. El yakuza protagonista de la historia se llama Kenji (interpretado magistralmente por **Seiichi Tanabe**), un
hombre que se siente atraído por un joven que, de casualidad, le salva la vida.
Ese joven se llama Chuji y es el barman de un pequeño sitio en el que se
presentan bandas musicales. Cuando Kenji llega medio muerto a ese bar tras
huir de un clan rival al que se enfrentó en una pelea, Chuji lo esconde, incluso a pesar de que el clan rival que lo buscaba era conocido para el barman.
A Kenji, acostumbrado a un mundo de violencia y mezquindad, la protección desinteresada de Chuji lo desorienta, y por ese motivo comienza a sentir
por el muchacho un sincero amor. Obviamente que en el mundo yakuza, el
amor entre hombres es un tabú imposible de esquivar. Por su parte, Chuji vive
una humilde realidad, en la que pasa su vida atendiendo el bar y jugando al
Tekken. Hasta que una noche, el cantante de una banda lo invita a tocar la
armónica en el escenario, y ahí cambiará su vida. Chuji comenzará a ganar
popularidad como músico, hasta el punto de que un productor se interesa en
él profesionalmente. La vida parece sonreír al protagonista, su vocación pros-
pera y tiene una novia que lo ama, pero un pasado como revendedor de droga
para un clan yakuza (que es justamente el clan rival de Kenji) amenazará con
atrapar al joven al punto de jamás poder concretar su sueño de dedicarse a la
música de manera profesional. Chuji, que encuentra en Kenji un amigo inesperado, no retribuye ese amor que el yakuza siente, pero no por eso deja de

sentir que él es un hombre en el que
puede depositar su confianza.

　　Componen el dúo protagonista
dos personajes que se ensamblan de
manera perfecta, pero uno de ellos
no tiene absolutamente nada que ver
con el estereotipo de personajes que
suele presentar Miike, y ese es Chuji,
el barman con aspiraciones musicales. Si bien él es un joven de una infancia desarraigada (algo común en
muchos héroes de Takashi), el buen
momento emocional y profesional
que atraviesa no es nada común en
el cine de Miike. Es un personaje
que vive una vida que se encuentra
en un punto de evolución innegable
pero, más allá de eso, Chuji solo le
resulta atractivo a Miike cuando
juega como complemento de Kenji,
una clase de protagonista que sí
es un típico antihéroe de Takashi.
Kenji es un yakuza único en su especie, que tiene una mirada renovada
sobre cómo debería ser la mafia y

sus negocios, una mirada que no tiene nada que ver con la óptica tradicional. Kenji es un personaje torturado por su sexualidad, y que a fuerza de lavarse los dientes y bañarse, intenta (literalmente) arrancarse de la piel el cuerpo femenino con el que hizo el amor. Kenji esconde su identidad y esconde su esencia, vive refugiado de su propia sexualidad, y eso lo convierte en un paria, un tipo de personaje muy común en la filmografía del director. La infelicidad escondida de Kenji contrasta enormemente con la plenitud de Chuji, y esa fricción es la que le sirve a Miike como motor del relato. Por ese motivo es que el final de Chuji, tan amargo y nostálgico, sirve para ejemplificar cómo un personaje tan netamente de Miike como lo es Kenji, termina por salpicar de miseria la vida de otros personajes prósperos. Según lo entiende el director, sus antihéroes torturados no solo estropean sus propias vidas, sino también las vidas de todos aquellos con los que entablan un vínculo afectivo (como sucedía en *Ambition Without Honor*).

Blues Harp (que debe su nombre al tipo de armónica que utiliza el protagonista) es una película para la que Takashi armó una identidad sonora y musical notoriamente marcada. Al utilizar un músico como eje del film y contextualizar la historia principalmente en un pub, el director comprendió que la música debía servir para construir los distintos ánimos que se viven en la historia. Desde la amargura del blues (en una escena, Chuji compra un disco de **Little Walter**), hasta la efervescencia del punk, Miike utiliza casi todo el tiempo canciones que marquen el tempo del film. El espíritu punk de *Blues Harp*, por otra parte, se combina con una puesta en escena más destructiva, marcando la manera en la que Miike comienza por momentos a despegarse de la historia, para jugar con imágenes oníricas que indican los sentimientos de sus personajes. Con secuencias de montaje que luego el director utilizará con más y más frecuencia (hasta llegar al mítico comienzo de **Dead or Alive**), Takashi demuestra en esta película que su mente, en muchos casos, iba por delante de su obra, y que algunos de los recursos que muestra en sus films terminará de pulirlos en el futuro. En esta etapa de su filmografía, poco a poco, Miike empieza a experimentar con imágenes lo que ya no puede contar con el guion; la escena en ralentí con la que Chuji pretende abandonar su relación con la yakuza es un claro ejemplo de esto. Y aquí es donde el autor cinematográfico emerge con fuerza, porque aunque los guiones no sean de su autoría, Miike utiliza la puesta en escena para firmar historias ajenas, de las que se apropia a través del montaje, la música, y de un timing preciso al que ningún guionista podría aspirar. *Blues Harp* es una película perfecta y otra obra maestra poco valorada dentro de una filmografía avasallante.

Apenas un año después del estreno de ***Young Thugs: Innocent Blood***, Miike regresa a ese universo para contar la niñez (y su llegada a la adolescencia) de Riichi, su protagonista. Aquí la acción transcurre en 1969 y se centra en el complejo núcleo familiar del personaje, con un padre bebedor, jugador y golpeador; una madre que sufre constantemente la violencia familiar; un abuelo que intenta poner orden a como dé lugar,

y en el centro de ese caos, el pequeño Riichi, que descarga en peleas callejeras la frustración contenida producto de ese hogar tan problemático. *Young Thugs: Nostalgia* es un film que resulta imposible no asociar con recuerdos de la infancia de Miike, y que evidentemente está muy vinculado a la niñez del director; memorias de juegos, de peleas y los sinsabores de la infancia previa a la adolescencia se conjugan aquí para dar un pantallazo de cómo fue la juventud del propio Takashi. El personaje del pequeño Riichi es un niño impulsado por dos cuestiones básicas: la curiosidad de aprender cómo funciona el mundo adulto (y qué lugar ocupan en él la violencia y el sexo) y la necesidad de intentar preservar cierta inocencia propia de su temprana edad. Riichi y sus amigos tienen esas dos caras que constantemente pujan por descubrir cuál de ambas ganará y se convertirá en la línea rectora de la adultez. Los niños pueden pelearse con hierros oxidados y obtener como resultado una cara llena de moretones, pero nada de eso es grave comparado con la angustia terrible que supone la idea de una familia dividida. Lo que ellos parecen sujetar con más fuerza y decisión es la necesidad de no perder esa inocencia del no saber ciertas cosas, el mantener en el plano

de la incertidumbre varias cuestiones. Esa inocencia que los niños intentan conservar se corporiza en la construcción de un Apollo 11 casero, y en la angustia que supone el saber que están por perder un terreno de juego (literal y simbólico) de la niñez. Son cuestiones materiales y emocionales que encierran el duro rito de transición que supone el pasar a la adultez, a una etapa más amarga y dura. Miike retrata en este film, como su nombre bien lo indica, la nostalgia que supone recordar una época que no era necesariamente más feliz, pero sí más inocente, y el director le brinda a Riichi una caótica armonía familiar, que al menos tiene un final feliz (o lo más parecido que puede tener a eso un personaje de Miike). Es un film que somete toda su perspectiva a la mirada del niño y cómo él observa el mundo. Muchos personajes de Miike son adultos que comprenden la vida, las relaciones personales e incluso el sexo, como una manifestación de la violencia, y aquí Miike, utilizando la infancia de Riichi, parece estudiar no solo la

infancia de este niño, sino también la de muchos de sus protagonistas y cómo llegaron a convertirse en adultos violentos. La moraleja es que estos niños de Miike serán en su adultez personas muy distintas, principalmente porque perdieron la capacidad del asombro y el cinismo se apoderó de sus vidas. La nostalgia está puesta entonces en añorar una sensibilidad perdida y totalmente imposible de recuperar. *Young Thugs: Nostalgia* es en este sentido uno de sus films imprescindibles.

De Ley Lines a Salaryman Kintaro

El primer largometraje que el director estrena en 1999 es **Ley Lines**, una de sus típicas historias de hombres atrapados en su destino, que se convierte en el último episodio temático de una trilogía compuesta también por ***Shinjuku Triad Society*** y ***Rainy Dog***. Como en muchas películas previas, Miike cuenta una fábula yakuza en la que también intervienen las triadas, las prostitutas y los hombres ansiosos por escapar de una vida que pareciera tenerlos encerrados. Los protagonistas de *Ley Lines* son un grupo de amigos, de ascendencia china, que luego de escapar de su pueblo natal, viajan hacia Shinjuku en un plan que culminaría con la desesperada necesidad por irse de Japón en busca de un lugar donde echar raíces. Como es de esperar, la miseria y el delito de Shinjuku terminarán por engullir a los protagonistas, que poco a poco verán cómo muere su sueño de una vida mejor, lejos de allí. El personaje que se convierte en motor de la acción es Ryuichi (interpretado por **Kazuki Kitamura**, uno de los actores fetiche de Miike), una figura que representa esa condición de desarraigo social que tanto interesa al director. Como sus amigos, Ryuichi es japonés con ascendencia china, una condición que al personaje no termina de darle una identidad, y que vive como una carga. La necesidad de Ryuichi por irse de Japón tiene que ver justamente con eso, con encontrar un lugar en

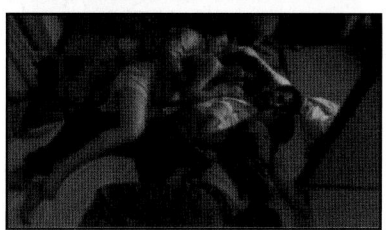

el que poder empezar de cero, sin que lo menosprecien por su sangre. Ryuichi va hacia Shinjuku con su amigo, y allí entabla una relación con Anita, una prostituta sin futuro, que no tarda en compartir con el protagonista la necesidad de comenzar desde cero en otro lugar. Pero en Shinjuku, para ganarse el pan, el protagonista y su grupo se ven en la necesidad de vender tolueno, una droga de muy baja categoría. No pasa demasiado tiempo hasta que el grupo se enfrenta a una triada local, lo cual deriva en la imposibilidad de cumplir el sueño de escapar a Brasil.

Si bien *Ley Lines* presenta varios tópicos usuales en la filmografía de Miike, no termina siendo una película de la perfección de *Rainy Dog* (donde el protagonista, que también arma una familia putativa, busca la salida definitiva de una vida sin futuro). En *Ley Lines* vale destacar aspectos formales que Miike utilizó para construir, desde la puesta en escena, la realidad de sus protagonistas. La película comienza con un flashback de los protagonistas a color, con un efecto que remite a una vieja filmación hogareña, y esos colores tan fuertes van a resaltar enormemente contra los grises y oscuros que dominan la totalidad de la película restante. Miike construye así un pasado luminoso que se traduce en un presente atrofiado. Otra escena que llama la atención es aquella en la que Ryuichi y Chan se suben al tren que los va a sacar de su pueblo natal; esa escena está filmada en un plano secuencia con cámara en mano, y es un recurso que Miike no utilizaba demasiado, al menos hasta ese momento. El andar ansioso de sus protagonistas, que mezcla incertidumbre con miedo ante lo que vendrá, es acompañado por una cámara temblorosa, que transmite a la perfección ese inquietante comienzo de una nueva etapa. Pero de las cámaras en constante movimiento, Takashi no tarda en pasar luego a escenas de sexo con planos cortos, cuerpos transpirados y jadeos constantes, una forma inmejorable de demostrar el clima de la ciudad en la que transcurrirá la acción, porque ese es un lugar viciado que, el espectador comprende, se convertirá en la tumba de los protagonistas. Otro aspecto llamativo de este film tiene que ver con el uso del tango. Miike ya había utilizado ese tipo de música para la apertura de *Full Metal Yakuza* pero aquí utiliza melodías tangueras para incorporarlas a la acción. El tango, que históricamente sirvió como puente hacia la nostalgia, Miike lo resignifica convirtiéndolo en el decorado del único momento (relativamente) feliz de la película, para luego utilizarlo como la despedida amarga de los protagonistas, que en un bote van a la deriva literal y espiritual. Estas virtudes chocan con el hecho de que *Ley Lines* es una película desprolija en su narrativa. Esa desprolijidad, se intuye, es totalmente provocada, y tiene que ver con la suciedad y podredumbre en la que están sumergidos los protagonistas de la historia y que, en la mayoría de los casos, termina siendo uno de los principales temas de Miike como autor.

La siguiente película de Miike supone un descenso abismal en términos de calidad, volviendo a los peores vicios del V-Cinema. Se trata de *Silver*, un film destinado al mercado del vídeo, un mundo que al director, a estas alturas de su carrera, le quedaba notablemente pequeño. Basado en un guion de **Hisao Maki** (un habitual de Miike en su etapa inicial, responsable de *Human Murder Weapon* y de la trilogía *Kibba*), *Silver* cuenta una historia muy típica: una antigua agente del FBI experta en lucha es reclutada para trabajar, junto a un antiguo amante, en una investigación. Para cumplir su tarea, deberá infiltrarse en una organización vinculada a la lucha libre femenina. A partir de ahí, la película no será más que un desfile de pobres excusas argumentales que justifiquen mostrar el voluptuoso cuerpo de la protagonista (que bien podría haber participado de cualquier film de **Russ Meyer**), sumado a algo de lucha femenina. Y lo cierto es que considerando el alto nivel de Miike en este punto de su carrera, *Silver* es un gigantesco paso hacia atrás. Teniendo en cuenta la paupérrima puesta en escena, lo burdo del guion y la alarmante falta de carisma de sus protagonistas, este film parece el trabajo de un estudiante de cine amateur, algo realmente imperdonable teniendo en cuenta que Miike

venía de realizar grandes films como *Blues Harp*. No puede decirse mucho más de *Silver*, porque solo serviría para seguir criticando negativamente una película que, dentro de la filmografía de Miike, no tiene razón de ser. Lo peor del asunto es que su siguiente película, **Salaryman Kintaro**, no es mucho mejor.

Estrenado en noviembre de 1999 y basado en un popular manga, el film cumple una función poco feliz, ya que se encuentra como puente argumental entre la primera y segunda temporada de una serie televisiva. O sea, *Salaryman Kintaro* sirve como nexo entre dos tandas de capítulos de televisión, lo cual perjudica notablemente a los espectadores que jamás se cruzaron antes con el Kintaro del título y que ven la película como si se tratara de una ficción auto-conclusiva. El héroe del film es el antiguo líder de una banda de motociclistas que, debido a una promesa, elige el camino del bien y comienza a trabajar en la constructora Yamato. Con el tiempo, Kintaro se convierte en un trabajador ejemplar y en un buen padre para su hijo, mientras que intenta luchar contra la corrupción de las grandes empresas y, a su vez, ayudar a sus compañeros de trabajo. Como verán, Kintaro es un hombre recto, con una moral intachable y sin ningún tipo de mancha oscura en su pasado. Y en ese aluvión de bondad que es el protagonista, termina perdiéndose la identidad de Miike como director, porque *Salaryman Kintaro* es lisa y llanamente la película con menos personalidad de Takashi. Si bien de sus comienzos en el V-Cinema podría decirse lo mismo, es innegable que en ese período Miike estaba construyendo su perfil cinematográfico, pero con el caso de *Kintaro* es distinto, porque en esta instancia Miike sí tiene una identidad marcada, y aunque los temas varíen, las pinceladas autorales siempre están presentes, algo que no sucede con esta película. En muchos sentidos, *Kintaro* es un film anti-Miike: porque el protagonista es un hombre que pareciera vivir bien, sin ningún tipo de deuda con el pasado ni frustración que lo atormente. Para colmo, la puesta en escena de la película tampoco resulta atractiva en absoluto. A pesar de que antes se vieron ejemplos como el de *Andromedia*, cuyo guion tampoco tenía que ver con el mundo de Miike pero cuya puesta en escena sí revelaba la mano del autor, el caso de *Salaryman Kintaro* ni siquiera se asemeja a eso, porque formalmente tampoco tiene mucho para ofrecer. Se trata de una de las películas más mediocres del director. Pero estos pasos en falso, Miike los compensaría con creces en sus dos siguientes películas, y la historia de este director cambiaría para siempre.

Dead or Alive y Audition

A un paso de la treintena de películas, Miike se sumerge en los dos films que lo convierten en un director de culto a nivel internacional, mientras que en Japón su fama crece a paso firme. Este período termina con dos películas que circularían por todo el mundo a una velocidad vertiginosa (y en muchos países, a través de copias ilegales). La primera de ellas es **Dead or Alive**. Estrenada en noviembre de 1999, *DOA* supone el primer paso de una trilogía cuyo eslabón en común es la ultraviolencia y la presencia protagónica de **Riki Takeuchi** y **Sho Aikawa**. *Dead or Alive* cuenta la historia de Ryuichi, un yakuza violento y calculador que lidera a un grupo de delincuentes urbanos de poca monta. En el otro extremo se encuentra Jojima, un policía amargado que intenta dar caza a ese peligroso criminal. Utilizando una estructura así de trillada, basada en el enfrentamiento de dos hombres que se encuentran en lados opuestos de la ley, Miike logra construir una verdadera obra maestra, que presenta una apertura y un final que dan cuenta de la originalidad de este director. Todo comienza con un plano en el que ambos protagonistas, sentados en cuclillas, dan inicio a la película que, como si fuera una canción de los **Ramones**, da paso a un vertiginoso clip de varios minutos en los que un Miike desenfrenado nos muestra quiénes son los principales jugadores en esta historia, entrelazando strippers, asesinatos, sexo y la línea de cocaína más larga que jamás haya visto el cine, todo eso desparramado en un *collage* histérico que deja al espectador colmado de adrenalina. Aquí se hace evidente la habilidad de Miike en la sala de montaje, y la velocidad y fuerza que sabe impregnarle a sus imágenes. Es un comienzo brutal, que muestra el enorme crecimiento de este director.

Tras ese comienzo a todo gas, el film entra en un ritmo más sereno, donde Miike pone el acento más en el drama personal de ambos protagonistas que en el entramado yakuza que los rodea. En ese mundo, y como sucede en muchas de sus películas, la presencia de la cultura china está totalmente entrecruzada con la japonesa, narrando cómo la yakuza y las triadas se enfrentan una y otra vez en Shinjuku, un sitio siempre presente en el cine de Takashi. *DOA*, tal como la presenta Miike, podría dividirse en dos aspectos claramente distinguibles: por un lado están las escenas vinculadas a las frustraciones de los personajes, y por el otro, a la vida profesional de ambos. Cuando Takashi hace foco en sus miserias elige planos cortos en los que la cámara prácticamente no se mueve, reforzando una sensación de hastío que parece dominar la psique de sus protagonistas, porque tanto Ryuichi como Jojima se encuentran en posiciones familiares difíciles. El primero, al comienzo del film, recibe a su hermano que viene de estudiar en Estados Unidos, y aunque el vínculo entre ambos es muy cercano, en el transcurso de la película se terminarán alejando.

Cuando finalmente el hermano de Ryuichi lo perdone será demasiado tarde, porque morirá en el epílogo de un violento tiroteo, lo cual llevará al yakuza a declararle la guerra a su némesis: Jojima. Pero irónicamente, este policía, lejos de disfrutar una vida apacible, parece sufrir aún más que su contraparte mafiosa. Jojima tiene una hija que debe operarse para evitar una muerte por enfermedad y, ante la constante preocupación de su mujer, el hombre parece mirar para otro lado, intentando desconocer una realidad que lo golpea. El drama

del policía es que no tiene dinero para salvar a su hija, motivo por el cual se alejará del camino de la ley. En un segundo plano se encuentran las escenas de acción, a las que Miike dota de enorme fuerza. Con angulaciones oblicuas, Takashi arma una puesta en escena caótica para varios de los tiroteos que integran *DOA*, y el caso del tiroteo final es el que mejor representa la forma en la que Takashi filma esas secuencias. Cerca del final se lleva adelante una cena para honrar la paz chino-japonesa entre las bandas, y en esa cena, Ryuichi irrumpe a los tiros junto a su banda, aniquilando a todos los presentes. Esa secuencia parece casi una declaración de principios. Lejos de la violencia pro-lijamente coreografiada de **John Woo**, que tuvo un notable efecto contagio en el cine mundial, Miike elige ir por el camino totalmente opuesto, y filma una escena de acción absolutamente anárquica en la cual se hace casi impo-sible distinguir a las víctimas de los victimarios. Y esa secuencia tan caótica es otra de las características de un autor que estaba totalmente asentado y que imponía una estética que nadie podía duplicarle, porque los yakuzas con gafas de protección y vestuarios estrafalarios se convertirían en otro de los tantos ingredientes del universo Miike, pero todavía falta el final.

El cierre de *Dead or Alive* se convirtió en uno de los clips más celebrados de Miike, un momento propio de un director que decide patear el tablero una y otra vez, demostrando ser un verdadero iconoclasta. En el último tramo del film, los personajes, habiendo perdido lo que más amaban, deciden aban-donar todo tipo de sutilezas y enfrentarse cara a cara a campo descubierto. La secuencia comienza con Jeiji manejando su vehículo en dirección al de su contrincante, pero recibe el ataque de un secuaz de Ryuichi, lo cual de-riva en el vehículo volando por los aires. Luego de esa explosión, el último secuaz del delincuente se acerca a los restos del auto, pero muere de varios tiros. Es en ese momento que comienza el duelo final, dando pie a una se-cuencia casi surrealista. De los llameantes restos del vehículo aparece un Jeiji chamuscado, pero vivito y coleando. Ante la firme mirada de Ryuichi, el policía se incorpora y se arranca su brazo malherido, lo cual no le impide empuñar su arma y comenzar un intercambio de disparos con su enemigo. Ambos reciben heridas de bala, pero cuando parece que van a morir, los dos logran interrumpir sus respectivas caídas, casi desafiando a la gravedad,

y vuelven a ponerse de pie. En ese momento, Jeiji saca de su espalda, como si fuera un espadachín, una *bazooka*. Ryuichi no se queda atrás, y de su pecho saca una esfera de po-der que nada tiene que envidiarle a la mítica Onda Vital de **Goku**. Jeiji no duda y dispara un proyectil de su *bazooka*; Ryuichi no se queda atrás y lanza su esfera de poder. Ambos proyectiles chocan, generando así una onda de destrucción expansiva que aniquila buena parte del planeta Tierra, y dándole un fin a la pelea entre ambos rivales. Y aquí nos detenemos. Hay varias cosas para destacar de este final, y la primera de ellas es lo absurdo que sería encontrarle un significado. Hay momentos en el cine que tienen que ver con el placer visual, o con el carácter lúdico de su realizador, y este es claramente uno de esos. "Para mensajes está el correo", dijo alguna vez **Truffaut**, y pretender encontrarle un sentido a un final así de provocador es algo totalmente caprichoso. En una entrevista, Miike dijo que en *Dead or Alive* habían trabajado todos con gran libertad artística, y que si alguien tomaba su film demasiado en serio, terminaría enojado con él. Aquí es donde se encuentra el punto más importante de todos, porque Takashi dice que su film es "para pasar el rato", disminuyendo enormemente su capacidad artística (actitud que remite a la célebre frase *mi nombre es John Ford y hago westerns*), e incluso huyendo de su innegable lugar como autor cinematográfico. En esa relativización de su filmografía, Miike se revela a sí mismo como un director netamente clásico, que entiende su obra no como un rejunte de films en los que intenta bajar línea sobre determinados temas, sino más bien como un conjunto de películas en las que trabaja por el puro placer de hacer cine y nada más, una característica que lo conecta con el mencionado **Ford**, con **Howard Hawks**, y con muchos directores del Hollywood clásico. Y al igual que aquellos realizadores, no por negarse a comprenderse como un autor deja de serlo, ya que sus inquietudes y obsesiones no dejan de surgir en el grueso de su trabajo (en *DOA*, sin ir más lejos, Ryuichi es un hombre que intenta sostener su núcleo familiar desesperadamente, siendo ese el estereotipo del personaje típico de Miike, aquel que siempre teme perder su identidad familiar y cultural). Es más, otra característica que Takashi comparte con muchos de esos directores clásicos es que él no escribe los guiones que filma, sino que los modifica, o incluso éste deja que sea su puesta en escena la que hable por sí sola. El iconoclasta final de *DOA* tiene entonces dos acepciones: por un lado, significa la

libertad creativa absoluta de un realizador dispuesto a romper con todos los moldes posibles; y por el otro, el de un director clásico que se ve a sí mismo más como un artesano que como un autor. Y esa contradicción es la que hace de Miike un director tan único, porque si bien sus temáticas marginales lograron atraer la atención de millones de cinéfilos, su método de trabajo responde a un canon totalmente tradicional. La fascinación que provoca *Dead or Alive* tiene que ver justamente con eso, con encontrarse a un director tan personal que se preocupa más por sacudir al espectador que por enviarle mensajes cargados de ideologías descartables. Y esa frescura en la mirada de Miike, esa manera de entender y de hacer un cine tan genuino y espontáneo, es la que le permitió concretar una nueva obra maestra que lo llevó a recorrer el mundo, gritándole a todo el planeta que Japón era una vez más cuna de uno de los más importantes directores de contemporáneos.

Luego del éxito que supuso *DOA*, Miike golpeó nuevamente con el estreno de **Audition**, provocando que millones de espectadores en el mundo, ajenos al prolífico trabajo previo del director, preguntaran inquietos quién era ese tal Miike y qué había hecho antes. La anécdota de **Rashomon** (Akira Kurosawa, 1950) y su entrada triunfante en el festival de Venecia, momento en el que muchos occidentales conocieron por primera vez el cine japonés, tuvo su eco moderno gracias a *Audition*, que al estrenarse en 1999 en el Festival Internacional de Toronto llamó poderosamente la atención tanto de críticos como de espectadores que desconocían al realizador. En los meses siguientes, el engendro de *Audition* creció notablemente gracias a los foros de internet y a un ejército de comentaristas que apuntaban a esta cinta como una de las obligatorias del año, jurando y perjurando que un nuevo tipo de cine se estaba gestando en Japón. De ese modo, Miike vio cómo su nombre rebotaba en las redes de todo el mundo, convirtiéndose a nivel mundial en un referente ineludible de la ultraviolencia. Lo irónico del asunto es que esa tarjeta de presentación que fue *Audition* en muchos sentidos se distanciaba de varios elementos usuales del director, por lo que el grueso de la audiencia conoció a Miike a través de una película que no necesariamente era la que mejor representaba su universo.

El protagonista del film es Aoyama, un viudo que después de perder a su mujer, se dedica exclusivamente a la crianza de su pequeño hijo. Ya siendo su niño un adolescente, un amigo del hombre le sugiere que sería bueno para él conocer a una mujer y volver a casarse. Con esa idea en mente, Aoyama y su amigo montan un falso casting con el objetivo de conocer a varias candidatas y con ese pretexto intentar encontrar al nuevo amor de su vida. Vale destacar que Aoyama no tiene intereses sexuales, sino que verdaderamente su objetivo es conocer a una mujer con la cual formar pareja. Revisando los papeles de las postulantes, el hombre repara en el currículum de Asami, una joven amante del ballet que por circunstancias de fuerza mayor vio ese sueño morir. Conmovido por la historia, el hombre empatiza rápidamente con la joven cuando ella se presenta en el casting, e inmediatamente intenta acercarse a ella. La joven Asami, de 24 años y apariencia totalmente virginal, se muestra distante, pero a medida que los encuentros avanzan, ambos comienzan a entablar una relación de mayor intimidad. Inesperadamente, luego de pasar un fin de semana juntos,

la joven desaparece, dejando en Aoyama una terrible sensación de tristeza, que provoca un angustiante eco en el hombre, que lo remite al "abandono" que sufrió con la muerte de su anterior mujer. Ante la ausencia, Aoyama comienza a indagar en el pasado de la chica, haciendo hincapié en su paso por la escuela de ballet. Así es cómo el protagonista comienza a encontrar más interrogantes que respuestas, descubriendo, irónicamente, que no sabía casi nada de la vida de su amada. Finalmente una noche, Aoyama vuelve a su casa, y luego de tomar una copa de whisky, cae tendido al suelo. Esa copa tenía en su interior una peligrosa fórmula que lo deja despierto, pero imposibilitado de moverse, y allí es cuando reaparece Asami para darle al hombre una salvaje tortura que, entre otras cosas, le deja un pie amputado. La situación se revierte cuando aparece el hijo del protagonista, que tras un forcejeo, termina arrojando a la chica por las escaleras, matándola en ese mismo acto. El cuerpo de la joven queda tendido en el suelo ante la quebrada presencia de Aoyama, que mira a Asami desnucada, en el suelo de su propio hogar.

Audition está basada en el libro homónimo del gran **Ryu Murakami**, imprescindible escritor japonés que, debido a sus mundos violentos y personajes torturados, tiene mucho en común con Miike. Cuando al director le ofrecieron la dirección de *Audition*, se tomó el permiso de ser él mismo quien eligiera al guionista que adaptara la novela. Miike, con plena seguridad, convoca para ese trabajo a **Daisuke Tengan**, hijo de **Shohei Imamura**.

Y lo que Takashi logra con éxito en *Audition* es llevar al cine los climas opresivos tan característicos de Murakami. Al igual que muchos personajes de Miike, los protagonistas del escritor suelen ser hombres torturados, que parecen sumergidos en vidas frustrantes que constantemente les recuerdan lo lejos que están de ser quiénes son. Lejos de los yakuzas, lejos de la comedia o la ultraviolencia, Miike presenta una película cuyo mérito es la habilidad con la que construye las psiques de todos estos personajes, siendo cada uno de ellos víctima de las circunstancias. En ese sentido, Asami es la más interesante. Miike constantemente nos ubica en la perspectiva de Aoyama, y si bien hay escenas que muestran a la chica a solas, el espectador no deja de sentir que ahí puede haber una cuestión onírica, una idea ilusoria sobre quién puede ser esa mujer, y qué tan verdadero es lo que se muestra en pantalla. El

miedo a lo desconocido, de alguna manera, parece ser el *leit motiv* del film. El amigo de Aoyama en varios momentos le advierte sobre Asami, diciéndole que el mundo del espectáculo es pequeño y que es raro que a esa chica no la conozca nadie. Pero Aoyama no escucha razones porque ya está totalmente fascinado con esa historia trágica sobre la niña que no pudo dedicarse al ballet. Y lo que Miike hace es colocarnos en la óptica de Aoyama, hacernos sentir junto al personaje esa extraña fascinación por la joven, más allá de que nosotros, como espectadores, sabemos que las cosas están dadas para que todo termine mal. Asami, por otra parte, está construida a partir de retazos de su pasado, un pasado que vamos conociendo poco a poco y que, en algunos casos, nos resistimos a creer. En algún punto, *Audition* parece la fábula de un necio que, a pesar de las supuestas pruebas que va recogiendo, se niega a pensar que esa joven pueda ser capaz de cometer todas las atrocidades que la historia del film muestra. En una instancia de la película, donde se recorre de manera casi surrealista el pasado del personaje, Aoyama pareciera aventurarse en el oscuro pasado de la chica y en su turbia psique. Ese *tour de force* es una de las grandes secuencias cinematográficas en la carrera de Miike, y prueba fehaciente de su gigantesca capacidad como realizador. En apenas quince minutos, Takeshi explora una serie de imágenes perturbadoras, que terminan siendo mucho más inquietantes que la famosa tortura final. El pasado de la chica, que el espectador cree conocer en esa secuencia, termina siendo salpicado por los miedos y errores del propio Aoyama, estableciendo de ese modo una similitud entre ambos personajes. Para Miike, tanto Aoyama como Asami son personas incompletas debido a las tragedias de su pasado, y mientras Asami es una víctima devenida a victimaria, Aoyama simplemente es una criatura débil que no tuvo la fuerza de hacer lo que deseaba, reprimiendo, ante todo, su apetito sexual (como lo muestra el tormento que le significa el *affaire* que tuvo con su compañera de trabajo). El nivel de pesadilla de esa secuencia la convierte en una radiografía de la torturada psique de ambos protagonistas, justificando por qué el encontrarse mutuamente era la peor combinación posible. Asami, como buena cazadora, sabe que su habilidad es la de encontrar hombres que se muestren sensibles pero cuyo único deseo sea el de tener sexo. Lamentablemente, Aoyama buscaba exactamente lo opuesto, pero eso no impide que Asami lo vea como la víctima-símbolo de todos los hombres que les estropearon la vida a mu-

jeres como ella. Que sea el hijo quien salve a su padre, lejos de ser una solución arbitraria, es una pieza de resolución lógica. Ese hijo es fruto de un amor de final amargo, y la dedicación que Aoyama le profesó a su muchacho es la prueba de su nobleza. Porque Aoyama es, ante todo, un hombre noble, y esa virtud, encarnada en su hijo, es la que termina por salvarle la vida. Finalmente, la película cierra con una Asami niña preparándose para el ballet, lo que deja en claro que la tragedia matriz en *Audition* es la que sacudió a esa pobre niña. Ese cierre, más que una mirada de Miike, es una mirada del propio Aoyama, quien a pesar de todo, parece seguir perdonando a su amada. *Audition* es una historia de amor verdaderamente trágica, porque ni después de la tortura, el hombre deja de sentir pena por su victimaria.

Audition significó la entrada de Miike al circuito comercial de muchos países, siendo el director centro de una sonada (y estéril) polémica sobre los límites gráficos de la violencia en cine. Al día de hoy, a más de diez años de su estreno, *Audition* sigue siendo mencionada como una de las películas más violentas de la historia. Pero esa manera de encasillarla es una franca injusticia. No solo *Audition* está lejos de ser una de las películas más violentas de la historia del cine (de hecho, cualquiera que mire con atención la obra de Miike descubrirá que ni siquiera es la más violenta del director), sino que incluso la violencia del film es más bien poca, ya que Takashi, con astucia, pone el acento en los rasgos emocionales de sus personajes. Es más, en la escena de la tortura final, la mayoría de las veces solo vemos la cara de Asami mientras disfruta del daño que le infringe a su víctima, siendo el fuera de campo lo que más atemoriza, o sea, lo que no se ve pero se intuye. Ahí está la clave que le permitió a Takashi hacer una escena tan descarnada, porque nos deja sufriendo por lo que sabemos que pasa, y no por lo que vemos que está pasando. Con *Audition*, Miike cierra con broche de oro una etapa profesional gigantesca, que merecidamente lo posicionó en el mapa mundial como uno de los realizadores cinematográficos vitales de su tiempo.

Capítulo 6

El verano de Kikujiro

Después de *Hana-Bi*, Kitano se convierte en uno de los directores más prestigiosos de su época. Pero con Takeshi sucede una equivocación similar a la que sufría **Tarantino**, y es que la violencia de sus films era para muchos críticos el rasgo definitorio de su cine. Muchos periodistas reducían el cine de Kitano únicamente a su violencia, como si ese fuera el único rasgo autoral reconocible. Nada de eso. A lo largo de siete películas, Takeshi demostró un abanico temático amplio, con films que bien podían ir sobre películas de protagonistas torturados hasta comedias anárquicas, y en todos ellos, el director demostraba una habilidad insoslayable. Por ese motivo, y tras el éxito (comercial y de crítica) que supuso *Hana-Bi*, Kitano comienza a plantear un film más introspectivo que lo llevaría a recorrer aspectos de su vida pasada. Así es como en 1999 estrena *El Verano de Kikujiro*, una emotiva 'road movie' a la que el propio director comparó con *El Mago de Oz* (The Wizard of Oz, 1939).

La película trata sobre el pequeño Masao, un niño que vive con su abuela, y de cuyos padres no sabe mucho. Casi por casualidad, el pequeño encuentra la dirección de su madre y decide embarcarse en un viaje hacia un lejano pueblo, con el objetivo de conocerla. Apenas sale de su casa, un grupo de jóvenes le roba su dinero, pero lo rescata una mujer amiga de su abuela, y ella obliga a su marido a que acompañe a Masao, dando así comienzo al emotivo viaje del niño. Si bien el hombre parece un despreocupado que solo está interesado en apostar en las carreras de bicicletas, con el correr del viaje mostrará

71

un noble corazón. El viaje de Masao y el hombre hasta la casa de la madre del niño tiene un sabor relativamente agrio, les toca dormir a la intemperie, intentar sobrevivir con poco dinero, buscar artimañas que les permitan viajar en automóviles ajenos, etc., pero también conocen algunas personas de buen corazón que se preocupan por ellos. De ese modo, la curiosa pareja llega hasta el pequeño pueblo en el que vive la madre del niño y ahí descubre la dolorosa verdad: la madre tiene una familia y una hija pequeña. Masao, angustiado, se va a la playa a llorar. El hombre va con él, pero luego vuelve y le consigue, luego de robárselo a dos motociclistas del lugar, un angelito. Según le dice al niño, cuando haga sonar la campana de ese angelito, su madre bajará para ayudarlo. Y esa mentira blanca, ese acto de bondad absoluta y la fabricación de una realidad más feliz, es el *leitmotiv* del segundo tramo del film, que marca la vuelta de la pareja hacia el hogar. Si bien ese regreso tiene un comienzo poco próspero (en una feria terminan provocando a un grupo yakuza local), el hombre y Masao deciden tomarse unos días de descanso junto a un escritor ambulante y los dos motociclistas a quienes el hombre les quitó la figura del ángel. Después del descanso, la dupla protagónica regresa a Tokio, ambos se dan un sentido abrazo y se despiden. Sobre el final, Masao le pregunta al hombre cómo se llama, a lo que él responde "Kikujiro". Y con una emotiva pieza musical compuesta por **Joe Hisaishi**, la película cierra con una imagen en la que vemos a Masao corriendo hacia su hogar, dándole fin a una película realmente perfecta.

El Verano de Kikujiro tiene un innegable aroma de expiación y se convierte en una suerte de obra integrada por los fantasmas del propio Kitano, que

a través de este este film pretende contrarrestar. Para empezar, el ingrediente más importante del film es, obviamente, Masao. El pequeño niño interpretado por **Yusuke Sekiguchi** es un personaje con el que resulta imposible no desarrollar un vínculo de protección. Al niño lo sentimos solo, desprotegido y con una necesidad de afecto que conmueve. Más que una empatía, lo que el espectador siente por Masao es una necesidad de querer ayudarlo y cuidarlo. De hecho, Masao apenas habla a lo largo de la primera parte de la película y no es hasta el tramo final que realmente comienza a expresar qué le sucede, aunque sea tan solo a través de juegos o frases pronunciadas tímidamente. Ese niño, en el transcurso del film, gana seguridad, y si bien nunca abandona su tímida personalidad, comienza a soltarse y a disfrutar gracias al vínculo que construye con Kikujiro. Justamente el Kikujiro del título, interpretado por el propio Kitano, termina siendo la figura que compacta la verdadera idea del film. *El verano de Kikujiro* comienza siendo la historia de un niño solitario pero muta para convertirse en la fábula de un adulto inesperadamente conmovido después de hacer un viaje impensado. Y por ese motivo es que se siente a *El Verano de Kikujiro* como una película expiatoria, porque comienza con un protagonista pero termina priorizando la mirada de otro. Que la película inicie con el pequeño Masao corriendo hacia la cámara y termine con la misma imagen pero esta vez con Masao alejándose de cámara, establece quiénes son los protagonistas de la historia en cada uno de los tramos del film. La imagen de Masao es la misma, pero cuando en el comienzo es el niño quien se acerca a nuestras vidas, en el final será él quien se aleje, habiéndonos dejado en el transcurso de ese tiempo compartido una serie de emotivos momentos. No hay en *El verano de Kikujiro* una idea acerca de una lección moral o un aprendizaje de vida, nada de eso, Kitano con esta película simplemente se propuso darle a sus espectadores una serie de momentos alegres y amargos. Porque si bien *El Verano de Kikujiro* puede querer observarse como un viaje de felicidad, hay innegables tramos oscuros. El más terrible de ellos es ese en el que un pedófilo intenta abusar de Masao. Si bien en ese momento el niño se resiste, se nota su verdadera angustia en una escena onírica, en la que ante

la mirada fría de su madre, el niño vuelve a ser acosado por el abusador. Es una escena terrible y que desnuda una posible lectura sobre el origen del pequeño, porque si bien la madre observa sin defenderlo (lo cual evidencia la sensación apabullante de desprotección que siente Masao), puede que incluso signifique que el pequeño cree ser producto de una violación y que por ese motivo su madre se negó a criarlo, habiendo quedado al cuidado de su abuela. Por otra parte, también vale destacar al propio *Kikujiro*. Como sucede con muchos personajes en la filmografía de Kitano, de él sabemos poco y nada, y muchas cosas pueden especularse a partir de detalles. Se intuye que fue un personaje vinculado a la yakuza, y que por algún motivo se apartó de ese camino; y también se sabe que su madre se encuentra internada en un geriátrico. Ese detalle, que se descubre promediando el final del film, no es menor, ya que deja en evidencia el porqué de acompañar a Masao en la búsqueda de su propia madre. Pero lo más interesantes es que Kikujiro, a pesar de ser un personaje casi de comedia, es a todas luces un hombre muy astuto y perseverante, al punto de ser un cabeza dura.

Un elemento que es imposible obviar, y que se repite casi mecánicamente en muchos films de Kitano,  es la presencia de la playa. Cuando el pequeño Masao descubre la dolorosa realidad acerca de su madre, va a refugiarse a una playa, haciendo de ese lugar un sitio que funciona como bálsamo para su dolor y en el que recibe de Kikujiro el regalo del ángel. A partir de este tramo es cuando comienza a cambiar el eje del film, porque si bien el principio trataba sobre Kikujiro acompañando a Masao, a partir de la escena de playa será sobre Masao aceptando a Kikujiro como un amigo/padre, estableciendo entre ambos un vínculo afectivo. La escena que marca el comienzo de una nueva forma de relación es esa en la que el pequeño cura a Kikujiro después de que este reciba una brutal paliza de unos yakuzas. Ese acto de curarlo significa que mutuamente se aceptan como miembros de una familia alternativa. Y una vez conformada esa nueva dinámica entre ambos es que terminarán, al igual que en otras películas del director, compartiendo un considerable tramo de película descansando junto a otros

amigos de viaje, en las orillas de un río (que también remite a los descansos playeros de *Escenas frente al mar* y *Sonatine*). Y justamente al igual que sucedía en *Sonatine*, ese tramo de film es el que muestra a los personajes en su plenitud, felices de compartir ese tiempo juntos, jugando y disfrutando del hecho de estar unos con otros, porque son esos los momentos más especiales para los personajes de Kitano. Finalmente esa temporada de juegos se termina, y la película, como se mencionó anteriormente, termina con Kikujiro y Masao envueltos en un abrazo y en un cierre que conmueve por su sensibilidad y calidez. *El Verano de Kikujiro*, si bien fue un éxito enorme para el director, fue sucedido por un puñado de películas que no gozaron de la misma aceptación por parte del público.

Brother y Dolls

Su siguiente film, ***Brother***, terminaría siendo el primer paso en falso importante en la carrera de Kitano. Aunque muchos tienden a pensar que esa película nació como un intento de Estados Unidos por absorber y licuar a Kitano, lo cierto es que la idea de filmar en ese país surgió de la cabeza del propio director. En la época de *Hana-Bi*, Takeshi estaba pensando en la historia de un violento yakuza que debía refugiarse en Estados Unidos y cómo allí terminaba por levantar un nuevo imperio criminal. La idea la conversó con Jeremy Thomas, un celebrado productor británico responsable de, casualmente, ***Feliz Navidad Mr. Lawrence*** (1983), el film de **Nagisa Oshima** en el que participó Kitano. Junto a Thomas, Takeshi llevó adelante *Brother*, concretando la historia del yakuza exiliado, pero contra todos los pronósticos, la película

resultó ser un experimento fallido. Lanzada en el año 2000, y convirtiéndose en muchísimos países en la primera película estrenada oficialmente de Kitano (lo cual, lamentablemente, no dio la mejor imagen del director), *Brother* cuenta la historia de Yamamoto (apodado Aniki), un yakuza japonés que tras ver cómo su clan es disuelto, y convirtiéndose él en blanco del clan rival, debe huir a Estados Unidos para salvar su vida. Allí, el protagonista se reencuentra con su hermano, al cual había enviado a ese país para brindarle estudios y comodidades. Pero el muchacho se dedica a la venta de droga junto a un pequeñísimo grupo de amigos. Una vez en Estados Unidos, Aniki termina asesinando a los jefes de su hermano y crea en Los Ángeles un nuevo grupo de gánsteres americanos influenciados por el código de honor yakuza. Como es de esperar, esa escalada hacia el poder absoluto culmina en una espiral de violencia que deja más muertos que vivos.

Brother es un típico relato yakuza que no trae muchas sorpresas, más allá del hecho de transcurrir en Estados Unidos. Con seguridad lo más interesante resulta ser exactamente eso, la inteligencia con la que Kitano estructura una fábula oriental en occidente, logrando orientalizar a sus personajes. En este sentido, hay una reivindicación clara de la figura del yakuza como alguien preparado para ser profeta en tierras propias y ajenas, más allá de cuáles sean los resultados. La mirada de Kitano es la del hombre que viene a enderezar lo

que está torcido (como bien marca la escena de su llegada al aeropuerto). Pero en este experimento de llevar oriente a occidente, algo se pierde, y es la veta autoral del director. Si bien en *Brother* hay elementos reconocibles de Takeshi (el mencionado código yakuza, la idea del hombre que escapa de su entorno, e incluso el obligado paseo por la playa), la película termina siendo un muestrario blando de las inquietudes del realizador y se convierte en un resumido manual acerca de cuáles son los pasos obligados en la construcción de un film yakuza. De ese modo, *Brother* es en el primer gran paso en falso de Kitano, que recibió malas reseñas por parte de la crítica especializada y un notable desinterés por parte del público. Y el mejor elogio posible se convierte, en el caso de Kitano, en la peor de las reseñas, porque decir que Brother "es una gran película de yakuzas" significa borrar del panorama la figura de Kitano, algo que es lo que sucede en este caso.

Desafortunadamente, el riesgo de la internacionalización de directores orientales se cobra con Kitano una nueva víctima.

Lamentablemente, con su siguiente film, Kitano seguiría desencontrado con su público. En 2002 Takeshi estrena **Dolls**, una fábula coral acerca del amor, la locura y la muerte. El film se compone por tres relatos vinculados al amor, que avanzan de manera simultánea. No se trata de una película episódica sino que todas las historias van transcurriendo en paralelo. Se intuye que en esta película Kitano intentó volver a una forma cinematográfica similar a la que practicó en *Escenas frente al mar*, o sea, un film más contemplativo y reposado. La película comienza con una obra de teatro protagonizada por marionetas (también conocidas en Japón como teatro de **bunrakus**), y parece que es el propio Kitano quien revela la naturaleza melodramática del film, porque el público de ese teatro observa la que será, a continuación, una serie de historias trágicas. Las luces del teatro se apagan y los muñecos miran a cámara, dando paso a una pareja que camina entrelazada a través de una soga por sus cinturas, mientras la gente de su alrededor se burla. Inmediatamente conocemos a Matsumoto, un joven muchacho que debe abandonar a su novia Sawako para casarse con la hija del presidente de la compañía en la que trabaja. Pero el día del casamiento, el joven se entera de que Sawako intentó suicidarse con pastillas, y que aunque no lo logró, quedó en un estado catatónico. Matsumoto, consumido por la culpa, abandona su casamiento y decide ir a buscar Sawako para cuidarla. Ella, que está totalmente sumergida en un estado cercano al autismo, no reconoce a su antiguo amor. Él decide entonces llevársela y cuidarla, pero para evitar que Sawako se pierda, decide atarla con una soga roja de la cintura y atarse él mismo en el otro extremo. De ese modo, atados por sus cinturas, los amantes terminarán recorriendo con la mirada perdida un camino que parece infinito. Una segunda historia es la de un yakuza veterano que recuerda cómo de joven prefirió olvidar a la mujer que amaba con el objetivo de

centrarse en su carrera. Su novia de la adolescencia, sin embargo, le dijo que lo esperaría al siguiente sábado con el almuerzo preparado. El yakuza recuerda ese momento y va a la plaza en la que solía ver a su amada, e inesperadamente la encuentra sentada en el mismo lugar, descubriendo que desde que eran adolescentes ella siguió yendo siempre a ese sitio, todos los sábados, esperando el regreso del hombre. La tercera historia es la de Nukui, un muchacho ciego que está obsesionado con una cantante pop. A medida que avanza el relato, conocemos el destino trágico de esa cantante y cómo es que Nukui decidió, con brutalidad, quitarse la vista.

De esta trilogía de historias, que a medida que la película avanza comienzan a mezclarse, es claramente la primera la más importante. Porque es esa la que parece englobar la sensación de amor y muerte que tan presente está en *Dolls*. Las tres historias, de alguna forma, tienen que ver con amores mal expresados, con historias protagonizadas por hombres cobardes que, de una u otra manera, terminan pagando muy alto el precio de esos amores temerosos. Pero esos vínculos que nunca llegaron a concretarse, sin embargo, terminan atando a sus protagonistas a existencias miserables. La más gráfica en este aspecto, obviamente, es la historia de Matsumoto. Cuando él decide hacerse cargo de Sawako, sus facultades psíquicas están intactas. Pero el precario estado emocional de ella parece sumir al joven en el mismo mundo, y ambos terminan siendo prácticamente unos zombis que caminan sin rumbo, atados el uno al otro, en una historia de amor destinada a la tragedia, porque la tragedia es el eslabón común de todas las historias. Kitano, que con *Kikujiro* había vuelto a un estado de mayor optimismo, parece aquí hundirse en una tristeza profunda, cargada de una melancolía abrumadora vinculada a cómo podría haber sido el futuro de estos personajes en caso que haber tomado las decisiones correctas. Es una nostalgia por vidas inexistentes, que irremediablemente lleva a pensar el período de amarga introspección que atravesaba el autor en ese momento y la necesidad de conectar con su público nuevamente luego del fracaso que supuso *Brother*. Pero esta oscuridad en la que Kitano sumergió a sus espectadores no fue del todo valorada. El amargo relato de amores interrumpidos que supuso *Dolls* terminó convirtiéndose en otro tropezón de taquilla para el director, y la película estuvo muy lejos de la popularidad de muchos de sus trabajos previos. Lejos de la tibia calidad de *Brother*, *Dolls* sí es una película valiosa que merece ser reivindicada.

Zatoichi

Tras dos fracasos de público, Kitano decide ir a por todas y estrena en 2003 una de sus películas más aclamadas: ***Zatoichi***. Tomando como punto de partida uno de los personajes populares más importantes de Japón, Kitano escribe y dirige una película que se convierte en un verdadero éxito en todo el mundo, no solo en salas cinematográficas sino también en festivales y a través de internet. Para muchos espectadores internacionales que desconocían la obra previa del director, *Zatoichi* se convierte en una verdadera novedad y

aumenta notablemente la populari- dad de Kitano para una nueva gene- ración de jóvenes cinéfilos. Y entre la popularidad, el éxito comercial y el torrente de críticas elogiosas, *Zatoichi* representa la vuelta del mejor Kitano (aunque aquí se encuentre camufla- do en un personaje preexistente).

La historia de *Zatoichi* tiene como protagonista al hombre del tí- tulo, un masajista ciego con una ha- bilidad extraordinaria para el com- bate, y en su bastón rojo, Zatoichi (también llamado Ichi) esconde su filosa espada. Su ceguera, que para sus rivales es su principal desventaja, es en realidad la mejor herramienta de Zatoichi, no solo porque sus ene- migos siempre terminan pecando de confiados, sino también porque esa discapacidad le permite fortale- cer el resto de sus sentidos. Al co- mienzo del film, el masajista llega a un pueblo que sufre el abuso de un yakuza local, y junto a un puñados de aliados inesperados revertirá esa situación, poniendo fin a ese domi- nio mafioso. Uno de los principales atractivos del film, aparte del enor- me carisma de Kitano en la piel del propio Zatoichi, es el desfile de personajes secundarios. Ante todo se encuentra el actor **Tadanobu Asano**, que encarna a Hattori, el guardaespaldas del yakuza del pueblo. Por otra parte se encuentran dos geishas, O Kinu y O Sei, que esconden un secreto: una de ellas es en realidad un hombre travestido, que por fuerza de las circunstancias debió aprender a comerciar su cuerpo cuando su familia murió a manos del mismo yakuza que domina el pueblo en el que se encuentran, y al que llegaron en busca de venganza. Por último se encuentra Shinkichi, un torpe hombre adicto al juego que se hace amigo de Zatoichi, y cuya tía aloja al espadachín en su casa. Todos ellos conforman un film excepcional, que bajo la firme batuta de Kitano reversiona al mítico personaje japonés.

El origen de *Zatoichi* como proyecto cinematográfico tiene que ver con, casualmente, **Takashi Miike**. El director japonés tenía en mente llevar adelante un 'jindaigeki', y la idea de un film que narrase la muerte de Zatoichi le resultaba interesante. Por esa época, Miike ya tenía en mente a Kitano como posible protagonista de la cinta. El proyecto avanzaba, pero de manera relativamente similar a lo que sucedió con *Violent Cop*, Kitano terminó dirigiendo él mismo el film (en algún punto trascendió que Takeshi dijo que si iba a protagonizar, también iba a dirigir, pero eso es algo difícil de creer, y más teniendo en cuenta que al año siguiente Kitano actuaría bajo la dirección de Miike). Lo cierto es que

Takeshi, en su doble rol de actor y director, tenía ante todo un reto complejo: borrar del consciente popular el rostro de **Shintaro Katsu**, el actor nipón que interpretó a Zatoichi en 26 películas. Por ese motivo, Kitano eligió tomar el camino opuesto y en vez de buscar acercarse a ese estilo interpretativo, fue hacia la dirección contraria. Escapando a la sombra de Katsu, Kitano eligió teñirse el pelo de rubio, una decisión estética enorme. Por otro lado, y aunque conservó el estilo pícaro del personaje, Kitano sintió que su Zatoichi no era necesariamente un "héroe de los buenos" (motivo por el cual lo eliminó del baile final). Otro elemento que llama poderosamente la atención en esta versión de *Zatoichi* es la utilización (extrema, para muchos) de la sangre digital, pero eso tiene una razón de ser: Kitano tenía en mente que los chorros de sangre lucieran como pétalos de rosa, con el fin de suavizar el exceso de sangre que tiene la película. La digitalización evidente de la sangre no tiene como fin el ocultar

el efecto, sino más bien el de hacer hincapié en la plasticidad del film, en ese espíritu lúdico de la película. Y desde ese lugar surge el Kitano autor, el Kitano de siempre. Si bien *Zatoichi* no es estrictamente una comedia, sí tiene el espíritu juguetón que es habitual en el director, una idea de personajes sumergidos en una realidad asfixiante pero que a través de rituales lúdicos obtienen efímeras vía de escape, y por ese motivo es que, por ejemplo, el juego es algo tan importante para Shinkichi. Las geishas, por otra parte, sí viven una realidad dura, que demandó un entrenamiento constante y, sobre todo para el muchacho, la necesidad de travestirse y utilizar su cuerpo como herramienta de trabajo. Pero Zatoichi, mezcla de espadachín perfecto y trotamundos en manos del destino, logra anexar ambas realidades, y su habilidad se convierte en la única herramienta posible que le permite al pueblo recuperar su alegría. Y aunque esa puede ser una descripción trillada, es la única que cabe.

El espíritu de juego ante situaciones graves y los hombres solemnes que siempre respiran a través del humor son la huella del director japonés, que logra apropiarse del popular Zatoichi, respetando su esencia clásica pero dotándolo de los rasgos propios del director. Y el chiste que cierra la película es la firma inconfundible de un director que, con este film, cierra otra etapa de su filmografía. Con el abrumador éxito de *Zatoichi*, y después del fracaso de *Brother* y *Dolls*, Kitano parece decir "hola y adiós" a un cine que era mucho más cercano al público masivo. Y aunque eso, afortunadamente, no resintió la personalidad de su obra, sí lo llevó a replantearse cuál sería el siguiente paso en su filmografía. Takeshi tuvo la suerte de hacer el cine que quiso, pero no por eso siempre obtuvo elogios por parte del público y la crítica. Pero a partir de aquí, y con *Zatoichi*, llega el fin de un período que sería continuado por una extensa trilogía mucho más personal, que se convertiría en una especie de tríptico salvaje por su atormentada vida personal, emocional y profesional. *Zatoichi*, con sus espadachines de sangre digital, marcaría el largo alejamiento de Kitano del cine de género. Takeshi cerraba así otro ciclo de su obra.

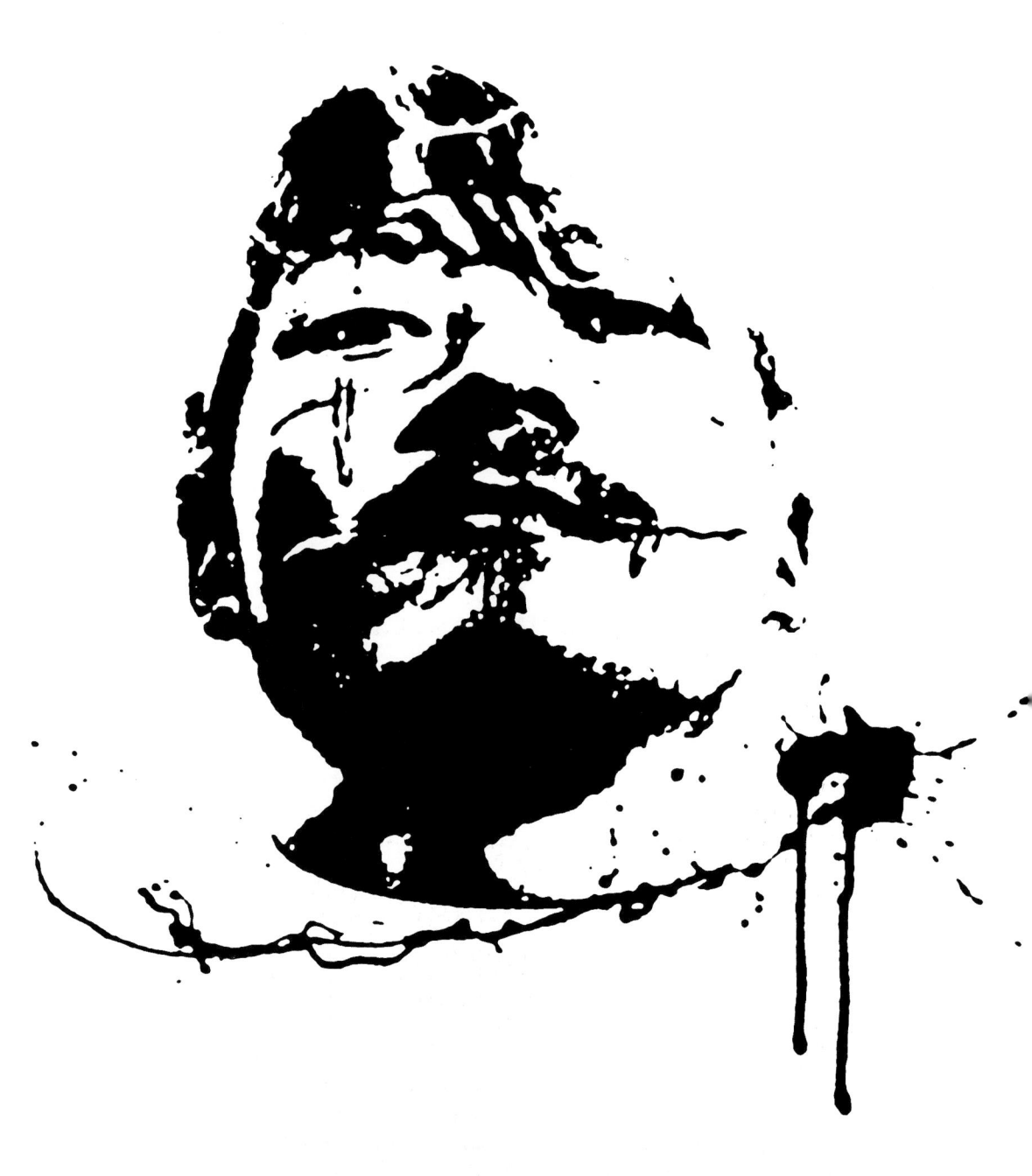

Capítulo 7

De The City of Lost Souls a Family 2

El estreno de **Dead or Alive** y de **Audition** le otorgaron a Miike prestigio y popularidad. A lo largo de su carrera, el director japonés demostró conocer en profundidad las reglas de cada género, y cómo podía trastocar a cada uno de ellos para llevarlos hacia un terreno más personal. Por lo que en su siguiente período, Miike se centraría en esta idea de adueñarse del cine de género (principalmente el yakuza, aunque también indagará nuevamente en la comedia y hasta en el musical), y sobre cómo tomar mundo preestablecidos para transformarlos en obras de su factoría. Lejos del V-Cinema, y totalmente asentado como un realizador abocado al cine, Takashi entra en el nuevo milenio con un film que claramente se circunscribe a esa idea: **The City of Lost Souls** (también conocida como **The Hazard City**). La película es un clásico relato yakuza sazonado con elementos típicos de Miike, que en este caso son la influencia y vida de extranjeros en suelo japonés, y qué rol juegan ellos en el entramado delictivo de la ciudad que habitan. El protagonista es Mario, un muchacho brasileño que intenta fugarse junto a Kei, una mujer china. Pero el escape estará atravesado por la batalla entre un grupo yakuza enfrentado a una triada, por lo que Mario y Kei se convertirán en el núcleo involuntario de esa guerra entre mafias. Como es común en muchos protagonistas de Miike, Mario parece un hombre sin raíces, pero desesperado por plantarlas. El brasileño es un personaje que remite muchísimo a los protagonistas de **Rainy Dog** y de **Ley Lines**, en relación a esa necesidad que tiene estos antihéroes por escapar de una ciudad contaminada de violencia y miseria. Mario es, al igual que los antihéroes de Miike, un hombre huérfano de hogar, y su motor es la necesidad de construir uno. La familia putativa, que en muchos casos es para Miike una suerte de redención para sus personajes (de vuelta, el ejemplo de *Rainy Dog* es el más similar), se convierte aquí en un elemento agridulce. La enorme comunidad brasileña que vive en Japón es para Mario un cuchillo de doble filo: algunos de ellos lo ayudan pero otros lo traicionan. El tener un pasado en común dentro de esa micro sociedad brasileña (a la que Miike filma casi homenajeando a la Pequeña Italia de Coppola en *El Padrino II*) guarda en sus entrañas toda clase de personajes, nobles y traicioneros por igual. Miike explota ese mundo brasileño y toma su idiosincrasia (principalmente su amor por el fútbol) para construir el seno familiar del protagonista, y cómo ese mundo juega un doble rol en su vida, ya que allí siempre estará la posibilidad de salvarse o condenarse.

Frente a la ambiciosa combinación de factores que Miike mezcla en esta película, irónicamente lo que termina por fallar es la química de la pareja protagónica. Si bien ambos se casan, se aman y todo el tiempo cuidan el uno del otro, no hay entre ellos una conexión tangible en la que pueda apoyarse el espectador, por lo que termina siendo muchísimo más atractiva la galería de antagonistas que rodean a los héroes (con especial mención a los hombres de confianza de los líderes criminales, que terminan convirtiéndose en protagonistas absolutos del epílogo del film). Un aspecto que Miike

trabaja cuidadosamente en *The City of LostSouls* es la puesta en escena y cómo crear el universo de Mario. Comenzando con una secuencia que parece un spaghetti western, Takashi se sumerge en una de esas secuencias de montaje verborrágicas que tanto le apasionan. En una escena inicial brillante se muestra cómo Mario rescata a Kei de ser deportada, llegando en helicóptero y con metralleta en mano. Otro momento brillante del film se da en una riña de gallos, donde los animales combaten a golpe de artes marciales y parodiando, brevemente, la coreografías de *Matrix* (1999). Ese gag resulta ser un detalle curioso, ya que Miike jamás había citado tan explícitamente el cine de Estados Unidos. Si bien es un paso de comedia breve, indudablemente el chiste oculta una crítica negativa de Miike hacia la industria norteamericana, porque no se puede dejar de tener en cuenta que durante varios años

el film de los Wachowski fue imita-
do en su técnica hasta el hartazgo,
olvidándose la industria de las peleas más "artesanales" que no nece-
sitaban ningún tipo de ayuda digital. Por último: el director cierra su
película con un duelo de ping-pong
entre los delincuentes Fushimi (el
yakuza) y Ko (el mafioso de China),
mientras que la pareja protagonista
intenta fugarse a China definitivamente, sin saber que los espera un
trágico final. De este modo, Miike
cierra otro film sobresaliente, en el

que continúa trabajando y explotando sus sesgo autoral.

El siguiente largometraje del director, también producido en 2000, es
The Guys from Paradise, una película que por su temática remite irremediablemente a *The Bird People from China*. El protagonista aquí es Kohei, un
salaryman que en el comienzo de la historia está siendo trasladado a una prisión en Filipinas. A medida que avanza el film se conoce que el protagonista
estaba en ese país cuando fue detenido y encarcelado por posesión de heroína. El largometraje, que parece seguir el sendero de un thriller carcelario,
rápidamente se aleja de ese subgénero para sumergirse, como es obsesión en
muchos films de Miike, en el choque cultural de un japonés promedio con
hombres de otros países y de otras costumbres. Así es cómo Kohei conoce
en esa húmeda y asfixiante prisión los distintos subgrupos que la habitan
y las características de cada uno de ellos. El protagonista, a medida que
se descubre encerrado no solo en esa prisión, sino también en un sistema
judicial kafkiano que claramente no le facilitará ninguna salida, encuentra
en el submundo de la delincuencia la vía de escape necesaria para orques-
tar su fuga. El protagonista conoce, y se pone a trabajar, para Yoshida, un
supuesto yakuza de alto calibre, ahora caído en desgracia, que vive como
un pequeño rey en esa asfixiante prisión. Kohei se convierte en cómplice
de los negocios sucios de Yoshida, lo cual le facilita salir esporádicamente
de la prisión; pero al poco tiempo todo comienza a derrumbarse. Belia, la
pareja de Yoshida, muere en un ataque que iba dirigido al delincuente, y
Kohei sufre un atentado en la prisión. Así es como los dos hombres terminan escapando, junto a otros presos y a Namie, una mujer con la que Kohei
comienza a tener una relación más cercana. El hecho de que *The Guys from
Paradise* remita a *The Bird People in China* tiene que ver con un empleado cor-
porativo sumergido en una realidad que le es ajena pero que termina por im-
ponérsele, poniendo en jaque las convicciones de su vida anterior. Al igual
que el protagonista de aquella película, Kohei se ve forzado a renunciar a
las comodidades que acostumbraba tener y debe aprender de cero a sobrevivir en un entorno que impone nuevas reglas de supervivencia. Pero Kohei,
a diferencia del protagonista de *The Bird People*..., termina siendo mucho
más pragmático, demostrando una habilidad de supervivencia y adaptación

notablemente superior. En este sentido, Miike parece encarar a Kohei desde un lugar distinto, entendiendo a su protagonista (y a muchos de sus héroes en general) como hombres que están destinados a adaptarse o a morir, a comprender las reglas de un nuevo statu quo o a fallecer en el intento. La eterna constante del hombre en busca de su identidad cobra en este film un nuevo significado, porque Kohei deberá desechar su vieja identidad para construir una nueva, una que le suponga mayor libertad (aunque, irónicamente, esa libertad vea la luz dentro de una prisión). La Filipinas de Miike, un lugar donde los hombres construyen su propio destino, es en palabras de uno de los personajes del film *un verdadero paraíso*. Pero el paraíso según Miike no tiene que ver con el placer, sino con la impunidad. El paraíso de Miike es una selva en la que solo sobrevive el individuo capaz de redefinirse y reconstruirse según las necesidades de su entorno.

Luego de esas dos películas que de alguna manera suponían nuevas reelaboraciones de trabajos previos, Miike decide lanzarse otra vez a una franquicia que había comenzado un tiempo atrás, y estrena *Dead or Alive 2*. La continuación de esta trilogía (unida, en un principio, por el hecho de ser protagonizadas por **Sho Aikawa** y **Riki Takeuchi**) está centrada en la amistad de Mizuki y Shuuchi, dos asesinos a sueldo que se encuentran por casualidad, para descubrir que ambos fueron grandes amigos de niños, cuando vivieron en una isla. Una vez de regreso al lugar de la infancia, se toman un descanso de sus trabajos, hasta que intempestivamente deciden utilizar sus habilidades para matar a las personas malvadas y ayudar económicamente a los niños pobres. Claro que esa matanza terminará por convertirlos a ellos en el blanco de otros pistoleros.

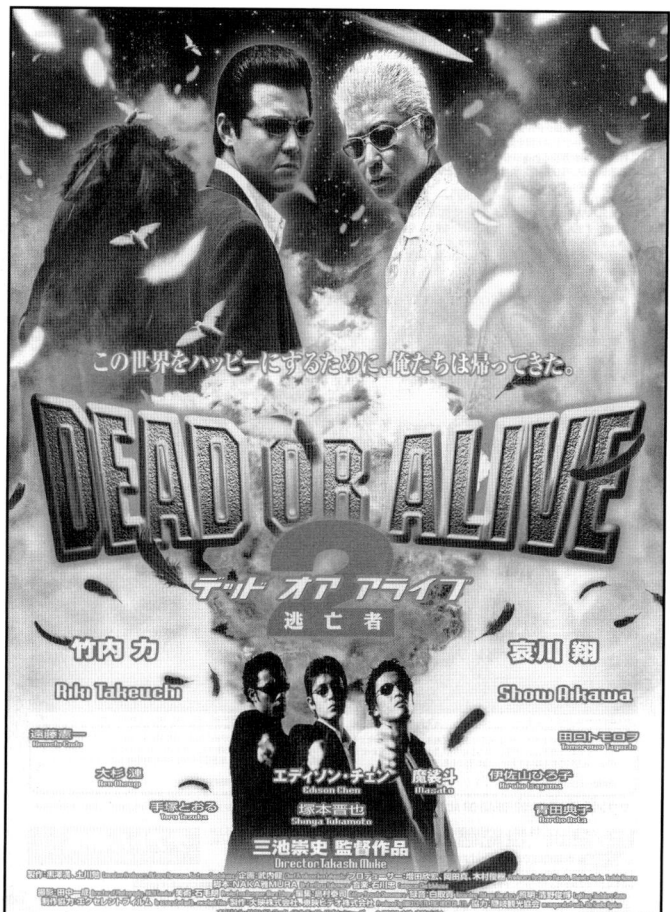

La segunda parte de esta trilogía muestra a un Miike en la búsqueda de otros caminos y muy alejado de lo que fue *DOA 1*. Lejos del montaje frenético y de los yakuzas molones, aquí el director hace una búsqueda hacia el interior de sus personajes e indaga cuál es el camino que hace un niño para convertirse en un adulto y cuáles son los factores que lo condicionan a lo largo de su crecimiento (un tema que Miike ya había tratado en *Young Thugs: Nostalgia*).

Los asesinos, al volver a la isla de su infancia, se reencuentran con su lado más amable, hasta podría decirse más caritativo. Pero la caridad entendida por un pistolero tiene que ver, al menos desde la óptica de Miike, con hacer el bien aún a expensas de tener que matar a quien resulte necesario. Todo el período del film en el que ellos reconstruyen su historia emocional, su pasado y las personas que los rodearon, apunta a la escena en la que ambos, sentados en medio de un pastizal, resuelven que es necesario ayudar a los niños que menos tienen. Ahí es donde Miike termina de construir el presente de los personajes a través de su pasado, y evidencia la necesidad de estos protagonistas de conectar con su aspecto más inocente y altruista. Takashi construye a ambos personajes (desde lo emocional e incluso desde lo visual) como dos fuerzas que al principio parecen opuestas, pero que terminan siendo complementarias. Y ahí está la idea de las alas. Ante todo, esas alas tienen que ver con la idea de libertad, de levantar vuelo como aves y convertirse en los adultos dignos que soñaron que iban a ser cuando eran niños. Y las alas también conducen a la inmediata iconografía de los ángeles guardianes, dado que los protagonistas comienzan su cruzada contra la yakuza con el fin de luchar a favor un concepto al que podríamos llamar el de "los niños teóricos". La idea de los niños teóricos tiene que ver con que el altruismo de estos personaje está basado en la necesidad de hacer el bien por el bien mismo, y no en un objetivo concreto que se representa a través de ayudar a un personaje determinado. El pesimismo de la película, según Miike, tiene que ver con que el bien abstracto encarnado por estos héroes irremediablemente choca contra el mal concreto, encarnado

en la yakuza y en esos tres asesinos a los que ambos antihéroes se enfrentan sobre el final. La bondad, como nobleza inherente al ser humano, parece tener los días contados. Pero el optimismo de Miike, por muy raro que parezca, termina ganando la batalla, porque sus protagonistas mueren con la satisfacción de haberse sacrificado por la causa que consideraban que era correcta. La muerte de ambos no es amarga sino celebratoria, y ahí es donde el aparente pesimismo de Miike se diluye para dar paso a la luz. En este punto se hace inevitable plantear cierta similitud con el cine de **Kitano** y esa idea de los personajes que deciden tomarse unas vacaciones de ser quienes son, para descubrir quiénes quieren ser. Mizuki y Shuuchi redescubren en la isla de su infancia, en esa niñez que los encontró huérfanos y en esa separación que les torció el destino, la

necesidad de seguir sus impulsos más nobles. ***Dead or Alive 2*** es con seguridad otra de las grandes películas de Miike, y seguramente la mejor de esta trilogía temática. Es un film que sirve para comprender al Takashi más visceral, el que puede jugar con la puesta en escena (el asesinato del enano a mano de los tres asesinos es brillante) sin necesidad de renunciar a sus intereses temáticos ni a la minuciosa construcción de quienes sean, quizás, los héroes más nobles de toda su filmografía. Lo que se dice, una verdadera obra maestra.

En 2001, Miike estrena una saga dividida en dos partes: ***Family*** y ***Family 2***, un díptico que en muchos países se editó como una sola película de casi tres horas de duración. El film cuenta la historia de tres hermanos que están involucrados en la yakuza, sus conflictos internos y los enfrentamientos que mantienen con otras familias rivales. La historia no es novedosa en absoluto, y el pobre nivel de ambas películas remite al Miike novato de sus años en el V-Cinema. Las películas, que de hecho fueron producidas para el mercado de vídeo, nos devuelven a un Takashi con las peores costumbres del pasado, y esto no es casual. El guionista de *Family* es **Hisao Maki**, que escribe ambos largometrajes basados en el manga de su propia autoría. Ya hablamos de Maki en este libro, él es responsable de los films ***Bodyguard Kiba***, ***Human Murder Weapon*** y ***Silver***. Por ende, en las dos *Family*, Miike vuelve a las explosiones y a los tiroteos gratuitos, al exceso de testosterona y a las escenas de sexo obligatorias. Casi huelga decir que Maki es una influencia negativa en la carrera de Miike, y que francamente no se entiende, una vez más, cómo un director que estaba desarrollando films tan complejos podía interesarse en realizar películas de un guion tan pobre como es el caso de las *Family*. Si bien hay algunos coqueteos con la puesta en escena y la edición, nada de eso salva del olvido a estas mediocres cintas. Indudablemente son films para esquivar, que representan un punto oscuro de una filmografía sólida. La mala noticia es que Maki volverá a aparecer en el futuro. La buena noticia es que la siguiente película de Miike, aunque se edite exclusivamente para el mercado del V-Cinema, será una de las más grandes obras de este director.

Visitor Q e Ichi the Killer

En el año 2001, Miike se sumerge en el mercado del vídeo una vez más, pero lejos de la mediocridad ofrecida por la saga *Family*, Takashi estrena la que con seguridad es una de sus películas más personales: ***Visitor Q***, un verdadero *tour de force* al núcleo de una familia que, en buena medida, representa las obsesiones más viscerales del propio director. Estableciendo equivalencias algo caprichosas podría decirse que *Visitor Q* es a la obra de Miike, lo que ***Saló, o los 120 días de Sodoma*** (1975) fue a la de **Pasolini**, o sea, un film contestatario, que salía para golpear las adormecidas mentes de sus espectadores. En un camino similar al del director italiano, Miike salía al ruedo con un film que le demostraba a sus fans quién era verdaderamente él, convirtiendo a *Visitor Q* en

una apuesta enorme y llevando al público hacia sus entrañas cinematográficas, dejando afuera la absurda idea de que Miike era apenas un director *cool* que sabía filmar tiroteos yakuza. Miike es mucho más que eso, y se lo demostró al mundo con este film. A partir de aquí, los fans de Takashi comprendieron que el universo del director es difícil de digerir. Siguiendo la comparación con *Saló* es interesante invocar a *Serge Daney*. En su artículo titulado **El Travelling De Kapo**, el crítico dice lo siguiente: *Solo a mediados de los años setenta pude reconocer en el* Saló *de Pasolini, o incluso en el* **Hitler** *de Syberberg, el otro sentido de la palabra "inocente": no tanto el no culpable sino aquel que, filmando el Mal, no piensa mal.* Y algo de esto tiene *Visitor Q*, que es la corrupción absoluta vista desde un ángulo que no apresura un juicio moral. No significa esto que el film bendiga la enormidad de perversiones que exhibe (que van desde el incesto a la necrofilia), pero hay en la película una intención de mantener distancia, perturbando de esa manera al espectador y cuestionando su punto de vista moral sobre todo el asunto. *Visitor Q* es una película que apuesta por mucho más que simplemente

generar un shock visual con sus imágenes, y pone el foco en la intrincada psique de sus personajes. El film está centrado en una caótica familia que recibe la visita de un hombre; ese hombre, cargado de violencia, termina convirtiéndose en una especie de bálsamo familiar, logrando encontrarle una cuestionable armonía a una familia descompuesta.

Visitor Q comienza con un cartel que dice ¿Alguna *vez lo has hecho con tu padre?*, una frase que desde el principio invita a la polémica y que se convierte en una obvia declaración de principios con respecto a cuál será el tono de la película. A continuación, una grabación casera muestra a un hombre teniendo relaciones sexuales con su hija prostituta. La secuencia es larga (dura unos diez minutos) y está prácticamente en su totalidad registrada por una cámara casera, que casi sin montaje muestra la relación sexual entre ambos. Sin música incidental de ningún tipo, Miike filma un encuentro sexual que oscila constantemente entre el placer de la carne y el placer de lo prohibido, generando en el espectador una inmediata reacción de incomodidad. En la siguiente escena, el

mismo hombre recibe un piedrazo en la cabeza de un individuo que se convierte en el famoso visitante que recibirá esa familia, familia que también está compuesta por una madre que es constantemente golpeada por su propio hijo. La mujer, por sanar su amargura, es una yonqui. A su vez, el chico que castiga físicamente a su madre es el blanco de pesadas y constantes burlas de sus compañeros de clase.

En la primera parte del film, Miike registra la violenta vida de esa familia, sus amarguras e infelicidades. Es un tramo que bien podría dividirse en el doble rol que cumplen todos los integrantes de la familia: abusadores y abusados. En mayor o menor medida, esos personajes someten y son sometidos, siendo incapaces de encontrar lo que para ellos puede significar la plenitud (de hecho, esta idea de víctimas y victimarios se potencia al mostrar que todos los miembros de la familia tienen personalidades marcadamente distintas dentro y fuera de las paredes de su hogar). La violencia es el resultado de la frustración, de la incomodidad. No es una violencia celebratoria, sino que sirve para ilustrar las imperfecciones de esos personajes. Es también impactante el registro casi documental que Takashi hace con la cámara, sin utilizar música ni cortes de plano abruptos, en lo que es una puesta en escena áspera, casi como si utilizara una cámara invisible que registra las actividades de una familia real. Volviendo a esta idea de abusadores y abusados, y de las dos personalidades que tienen los miembros de la familia, vale destacar que el único que se mantiene impasible frente a esa realidad, y que jamás modifica su personalidad, es el visitante, un personaje que desde esa violenta cotidianeidad es capaz de encauzar los rumbos de ese entramado familiar. Así es cómo *Visitor Q* entra en un segundo tramo, en el que todos los personajes se entregan a sus fetiches. Primero le toca el turno a Keiko, la madre de la familia, que experimenta la lactancia erótica, renovándose como mujer y reafirmando su lugar de matriarca del hogar. Luego le toca el turno al padre, que cegado ante la idea de filmar un documental sobre los abusos que recibe su hijo por parte de sus compañeros, termina matando a una colega de trabajo. El hombre se lleva el cadáver de la mujer al invernadero que se encuentra detrás de su casa, y

luego de planear cómo descuartizarla, termina teniendo relaciones con el cuerpo sin vida. Su pene queda atascado en el cadáver, y solo con la ayuda de Keiko logra destrabarlo. Esa secuencia los une como pareja y Kiyoshi pasa a ganar una enorme seguridad en su posición de padre, lo que deriva en que junto a su mujer mate a los estudiantes que atormentan al hijo de ambos. Desde la perversión y violencia más absoluta, el núcleo familiar vuelve a construirse. El último eslabón en la cadena es Fujiko, la hija del matrimonio, que ejerce la prostitución y que recibe, de

manos del visitante, una paliza que termina devolviéndola a su hogar. En el plano final de la película, y en una imagen de inesperada calidez, la madre les da el pecho a su hija y a su marido, convirtiéndose en la líder de ese núcleo familiar (siendo así, uno de los personajes femeninos más fuertes en toda la obra de Miike). Así cierra un film imposible de catalogar y que se revela como uno de los más personales del autor. Takashi, con esta película, va mucho más allá de la simple provocación y concreta una de sus películas más importantes, pero a la vez, más incomprendida. *Visitor Q* es la inocencia según la comprendía Daney, porque aunque sus personajes representan varios tipos de males, no por eso el director los somete a un escrutinio moral, dejando ese trabajo a cargo de los espectadores. *Visitor Q* produce en muchos casos una curiosa fascinación, vinculada a la visceralidad del film y a la respuesta que provoca en los espectadores. El mérito de Miike no está en acumular escenas incómodas, sino en comprender al cine como una herramienta huérfana de moral, dejándole ese trabajo al espectador y a sus propios principios. Que Miike naturalice la violencia inherente de esa familia no tiene que ver con que el director diga "esto está bien", sino que elige limitarse a mostrar un mundo y que sea el público el encargado de adoptar una posición frente a lo que ve. *Visitor Q* es una obra maestra única dentro de la obra de Miike, porque él jamás volverá a experimentar con una lógica cinematográfica tan fuerte como esta. Ese es el valor de la película, sumado al buen tino de asestar el golpe perfecto en el momento justo de su filmografía. El nivel de convocatoria que Miike alcanzaría a futuro no le volvería a permitir un experimento tan complejo como éste, y Takashi comprendió que *Visitor Q*, para ver la luz, debía nacer en este momento de su carrera. Su siguiente film sería otra verdadera joya, y una película que, una vez más, demostraría que Miike estaba reconstruyendo las bases temáticas del cine *mainstrean* en Japón (y el mundo).

Ichi the Killer marcó un nuevo punto de coyuntura en la carrera de Takashi. Luego del boom que representó *Audition*, luego del éxito que le reportaron los primeros dos episodios de *Dead or Alive*, e inmediatamente después de esa obra maestra inclasificable que fue *Visitor Q*, Miike se sumergió de lleno en uno de sus proyectos más fascinantes. *Ichi the Killer* es un manga creado por **Hideo Yamamoto**, que se publicó desde 1998 hasta 2001. Enamorado de la historia, Miike decidió adaptarla, y para ese trabajo eligió al mismísimo Yamamoto para realizar el guion cinematográfico. La tarea de convertir el tebeo en un guion, y a pesar de que *Ichi* consta de solo diez tomos compilatorios, fue un verdadero reto para el mangaka, que decidió dar un paso al lado aduciendo bloqueo de escritor. Miike, que no iba a darse por vencido, convocó entonces a **Sakichi Sato**, un joven guionista cuya experiencia era prácticamente inexistente hasta ese momento (apenas había adaptado para cine otro manga de

nombre *Kinpatsu no sougen,* que en inglés fue traducido como *Across a Gold Prairie*). La tenacidad con la que Miike luchó para adaptar este tebeo indudablemente tenía que ver con que en él encontró la materia prima para llevar adelante un film cargado de violencia y sexo, pero que también estaba íntimamente emparentado con el cine de yakuza y las relaciones homoeróticas, temas muy comunes en su obra.

Ichi the Killer centra la acción enfrentando a dos hombres que trazan un juego del gato y el ratón, un juego que gira alrededor de una espiral de violencia. La acción comienza cuando un jefe yakuza de nombre Anjo desaparece misteriosamente. Sus soldados comienzan una búsqueda que los conduce a la temida verdad: Anjo fue asesinado. Como si se tratara de un ronin moderno, Kakihara (interpretado por **Tadanobu Asano**), uno de los hombres de confianza de la víctima, decide comenzar una violenta cacería para descubrir quién eliminó a su jefe. De este modo, Takashi Miike plantea una orgía de sangre vinculada a un yakuza que hará lo imposible por vengar sangre con sangre. El misterioso asesino Ichi, por un lado, y Kakihara por el otro, forman los extremos que Miike utiliza para mostrar dos personalidades totalmente opuestas, que son también víctimas del juego en el que se encuentran atrapados. Utilizando los contrastes existentes entre ambos, el director construye la psique de cada uno. Ichi, el asesino, es un joven de personalidad reprimi-

da y que carga con una verdadera batería de frustraciones y dilemas. Esa característica es la que explota el misterioso Jijii (interpretado por el director **Shinya Tsukamoto**), que aprovechándose de las inseguridades de Ichi, hace de él su propio asesino por encargo. A lo largo de la película, las acciones de Ichi están siempre ligadas a las órdenes de Jijii, y también a las propias frustraciones que tiene grabadas en su manipulable memoria. Por su parte, Kakihara es un hombre cuya personalidad emerge con una fuerza brutal por cada uno de sus poros. La violencia que habita en su mente se hace evidente con apenas ver su rostro, que porta una macabra sonrisa debido a dos tajos que extienden la comisura de sus labios, prologando su boca a casi todo el ancho de su cara. Esa boca animal, que está sujeta con alfileres de gancho, demuestra el nivel de salvajismo del personaje, un salvajismo que parece acentuar con sacos de color púrpura. Kakihara es

la cara opuesta de Ichi, un hombre que siente la violencia como parte de su cotidianeidad y que no necesita utilizarla como catalizadora de frustraciones, sino más bien como la única herramienta posible para acceder al placer. Y siendo Kakihara un detective improvisado cuya única lupa es el sadismo, su forma de llevar adelante la investigación será desde la tortura. Esas torturas tienen que ver, principalmente, con la naturaleza sadomasoquista del personaje, que encuentra en ese proceso y en el propio dolor la máxima fuente de placer. Desde la óptica de Miike, existe en el film una muy cercana relación entre Kakihara y su jefe, el asesinado Anjo, que está íntimamente ligada a la capacidad de dar y recibir placer. Por su jefe, Kakihara tiene un compromiso que va más allá de la lealtad yakuza, y que se mezcla con la idea de una pareja masculina atravesada por una sexualidad dolorosa. Al igual que sucede en *Blues Harp*, muchos personajes de Miike terminan definiéndose como individuos que forman mitades de un todo, y el conflicto surge cuando a la otra mitad le resulta imposible de acoplarse. Como si fuera una saga romántica, en algún punto el conflicto de Kakihara se reduce a la necesidad de encontrar a su otra mitad, y cuando él descubre que esa otra mitad fue asesinada, desea encontrar al asesino por venganza pero también por amor a esa brutalidad que domina al personaje (¿y quizás hasta con la ilusión inconsciente de encontrar en Ichi a un nuevo compañero?).

Ichi the Killer se estrenó en 2001 en Japón, y la polémica y controversia causada por el film no tardaron en convertirla en una pieza de culto. En varios países del mundo, *Ichi* se transformó en una película enormemente discutida. Debido a su elevada violencia (que incluye cortar pezones o derramar

aceite hirviendo en la espalda de un hombre que cuelga de un techo), en muchos sitios la película sufrió todo tipo de censura, e incluso en Noruega llegó a ser totalmente prohibida. A pesar de ser acusada de misógina, de excesivamente violenta o de misántropa, es imposible no comprender que *Ichi the Killer* es una pieza más, que completa el mapa cinematográfico de Miike. Analizando el cine de este director como un todo, y prestándole atención a las películas previas y sus temáticas, es evidente que *Ichi* no es una película independiente que solo sirvió para cumplir los caprichos de un director con ganas de generar revuelo; nada de eso, *Ichi* es otra película que se complementa a la perfección con una obra cinematográfica que refleja las inquietudes de un director que entiende la sexualidad y la violencia como ingredientes inherentes a cualquier ser humano.

De Agitator a Sabu

La siguiente película de Miike, **Agitator**, es otra de sus obras maestras acerca de la yakuza. Ante todo, hay que comprender que *Agitator* es una película respetuosa de la tradición fílmica de este género. Muy alejada del espíritu iconoclasta de *Dead or Alive* o de *Ichi the Killer*, en este largometraje parece que Miike se propuso filmar un guion respetuoso de ciertas convenciones, desva-

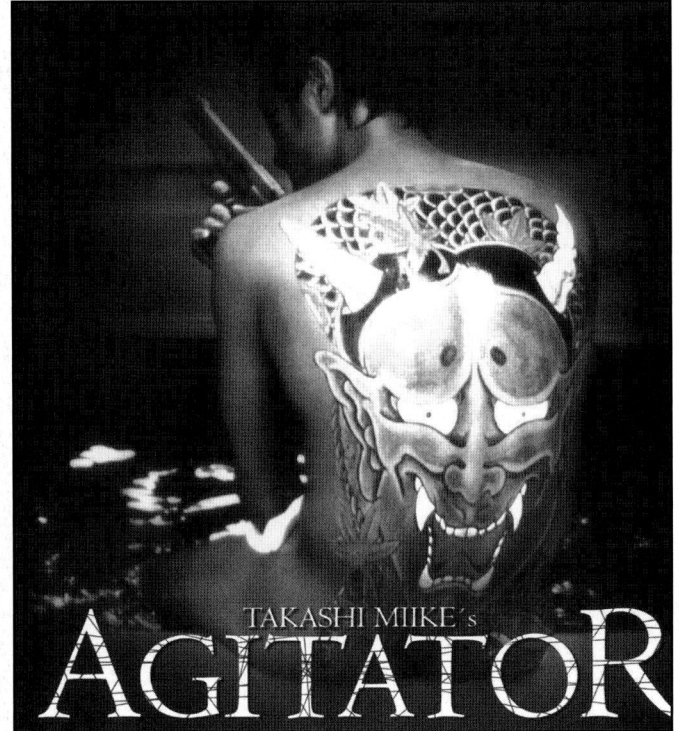

neciendo su figura como realizador y camuflándose al servicio de un relato yakuza puro en su forma y contenido. En películas como *Agitator* es donde uno comprende lo enorme que es la sombra de Fukasaku para los directores que intentan acercarse a este género, y visto el film como un integrante de la extensa filmografía de Takashi se comprende como un punto de maduración innegable dentro de su obra. El Miike director de esta película es el Miike más artesano, el que se esconde detrás del relato para dar prioridad a los personajes; pero también es el Miike autor en su vertiente más clásica. En sus 150 minutos de duración (al igual que *Family*, *Agitator* se compone en realidad de dos films, que internacionalmente fueron editados como uno solo), la película comprime una saga yakuza enorme, que abarca distintos clanes que alternan entre la paz y la guerra, y cómo las pequeñas familias son absorbidas por otras más grandes, a la vez que viejas enemistades deben convertirse en frágiles alianzas. El film cuenta la historia de Kunihiko, un yakuza de tercera línea que no logra tolerar el trabajar para quien fuera su histórico enemigo. Como muchos personajes de Miike, Kunihiko es un hombre solitario que en la yakuza encuentra una familia alternativa pero, sobre todas las cosas, es también un hombre marcado por el respeto y honor hacia Higuchi, su jefe dentro del clan. Sin embargo los tejes y manejes harán que Higuchi deba respetar pactos de paz con los que Kunihiko no concuerda, lo cual pone a ambos hombres en una difícil posición. Finalmente, la muerte de su mentor pone a Kunihiko frente a la decisión de disolver su propio bando y resolver cuánto respetará los acuerdos de paz que le imponen los yakuza de rango superior, ya que eso supone someterse a las órdenes del propio asesino de su antiguo jefe. En los films de yakuza existe el concepto del *giri* (el deber) y el *ninjo* (las emociones personales), y de la fricción entre ambas ideas surge el drama. Kunihiko representa en varios aspectos la esencia de este modelo de film yakuza. A lo largo de la película, el protagonista constantemente se encuentra preso de una puja interna entre esas dos fuerzas, siendo un hombre cuyos principios son tan fuertes que terminan detonando en su propia contra. Pero en un film cubierto de yakuzas que constantemente conspiran entre sí, Kunihiko resulta ser el único hombre con una vara moral intachable, fiel a sus principios rectores. Por este motivo es que en *Agitator* hay una reivindicación del hombre con valores éticos férreos. En el film ***The Man Who Shot Liberty***

Balance (1962), al igual que en gran parte del cine de **John Ford**, hay dos tipos de héroes: los modernos, que perciben a la sociedad como un órgano en proceso de evolución y que están preparados para adaptarse a ella (en esa película sería el personaje de **James Stewart**), y también están los hombres pasados, o sea, los que jamás podrán formar parte de ese nuevo orden social (o sea, **John Wayne**). Lo irónico del asunto es que esos hombres que no pueden sumarse a la realidad moderna son muchas veces los que deben sacrificarse por el cambio, siendo ellos quienes deben afrontar complejas decisiones que el hombre moderno tiene miedo de tomar. Y en *Agitator*, Miike parece hacer una construcción similar: Kunihiko es claramente un hombre pasado, un hombre que se niega a aceptar la hipocresía que trae aparejada la yakuza moderna, más atenta al dinero que a las tradiciones. Pero según la perspectiva de Miike, son los personajes como Kunihiko los necesarios para que los códigos yakuza no se desbarranquen. El director comprende que Kunihiko forma parte de un pasado que si bien es imperfecto, también es equilibrado, y esa añoranza está perfectamente representada por el tango, que reaparece aquí con mucho más poder que el que tuvo en películas previas del realizador. El tango encarna a la perfección el espíritu de Kunihiko, un hombre que representa la idea de que existió un pasado mejor a este presente. Como se dice en el lunfardo porteño, Kunihiko es un "guapo" hecho y derecho, o sea, un hombre temerario que no se acobarda jamás, por muy pocas que sean sus posibilidades de éxito. La actitud agresiva del protagonista, la actitud de "guapo" que tanto lo caracteriza y que encierra al verdadero espíritu de la película, bien puede resumirse en una de sus frases: *Si la vida es una mierda, ¿por qué no podemos golpearla con fuerza?*

El último film que Miike estrena en 2001 es **La Felicidad de los Katakuris**, película que toma ligeramente la trama del largometraje surcoreano **The Quiet Family** (1998, Jee-WoonKim) pero que rápidamente Miike deforma

para convertirla en un film totalmente distinto. *La Felicidad de los Katakuris* cuenta la historia de Masao Katakuri, un hombre que decide levantar un hotel en una zona rural debido a que en ese lugar pronto construirán una nueva ruta y el flujo de turistas se verá incrementado. Pero el camino no lo construyen, y Masao se encuentra allí alojado con toda su familia, intentando llevar adelante un hostal al que nadie siquiera se acerca. Para colmo de males, la situación empeora cuando comienzan a circular particulares turistas que, por una u otra razón, terminan muriendo en el lugar. Para no complicar las cosas, y empecinado en su idea de sacar adelante el hotel, Masao convence a su familia de enterrar los cuerpos de los fallecidos en las tierras aledañas. El absurdo de la trama se refuerza no solo porque prácticamente todos los Katakuris del título son seres estridentes, sino también porque Miike decide convertir esta comedia negra en un musical (casi) para toda la familia. Es mediante ese recurso que Takashi demuestra lo inquieto que es como realizador y lo temerario de sus decisiones, porque realmente no hay géneros cinematográficos con los que no se atreva. Es interesante comprender *La Felicidad de los Katakuris* como parte integral de 2001, un año en el que Miike perfeccionó géneros con lo que ya venía trabajando (*Agitator*), revolucionó géneros establecidos para darles una vuelta de tuerca totalmente novedo-

sa (*Ichi*), e incluso se dio el gusto de filmar una de sus películas más personales (*Visitor Q*), y cómo con los *Katakuris* Takashi cierra un ciclo cualitativamente muy alto, sumergiéndose en un género inexplorado por él. Aunque parezca inesperado, *La Felicidad...* tiene muchos puntos en común con el musical clásico de Hollywood. A vuelo de pájaro, podría decirse que los musicales se dividen en dos grupos: los que utilizan las canciones como pieza decorativa y los que usan las canciones como parte integral del film, para resolver conflictos o presentar personajes. En este último grupo, las canciones cumplen una función determinada, que va mucho más allá de la simple decoración, para convertirse en una poderosa herramienta narrativa, y el caso de los *Katakuris* es exactamente así. Cada una de las canciones que integra el film, más allá del humor absurdo que contienen, sirve para comprender en profundidad las angustias y motivaciones de cada uno de los protagonistas y de

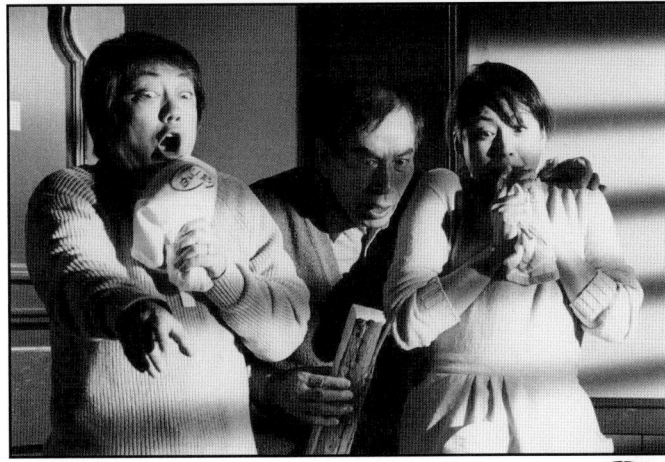

qué manera ven la vida los miembros de esa familia. Son canciones pegadizas, y lo más importante de todo es que si uno quitara esas canciones del film, la construcción de los personajes se derrumbaría. Ahí es donde Miike demuestra su enorme conocimiento del musical, porque le da un fin específico a todas las canciones de la película. Otro aspecto de Miike muy presente en los *Katakuris* es nuevamente la idea de la nostalgia. La narradora de la historia es Yurie, la pequeña niña hija del matrimonio compuesto por Masao y Terue. La voz en off de la niña ya adulta es la que lleva adelante el relato, por lo que la película es el recuerdo de una mujer sobre lo especial que fue su niñez. Esto tiene que ver con la melancolía tan presente en Miike y su cine, y con cierta idea acerca de un pasado idealizado. Para los personajes de Miike, el presente está muchas veces marcado por una constante idealización del ayer; que la niña recuerde sobre el cierre de la película que al año siguiente de los hechos su abuelo murió, y que el largometraje termine con el anciano volando en una suerte de explosión de alegría, justamente tiene que ver con eso, con comprender que el pasado imperfecto, con el correr de los años, se perfecciona en el recuerdo de sus protagonistas. El caso de los *Katakuris* está relacionado con esa felicidad que la memoria decide conservar, comprendiendo la unión familiar como sinónimo de alegría. Y la búsqueda por un núcleo familiar, biológico o adoptivo, es en muchos casos el objetivo de los personajes de Miike. Por ese motivo es que la felicidad de los Katakuris es tal, porque son personajes que logran cumplir el objetivo de conservar un círculo de pertenencia. Lo que muchos personajes de Miike sufren es el hecho de ser parias, y la Yurie adulta que recuerda su infancia como una época feliz refuerza la idea de que ella es en la actualidad una mujer solitaria, que recuerda ese período como el más feliz de su vida porque su familia estaba con ella. *La Felicidad de los Katakuris* es una película que puede ser considerada casi experimental para los ajenos al universo de Miike, por su uso de la música e incluso de la animación stop-motion, pero es en realidad una película que se revela como un nuevo acercamiento a temas muy recurrentes en la obra del director. Y Miike, como un científico obsesionado con comprender la felicidad, parece confirmar, al menos con esta película, que ese sentimiento tiene que ver siempre con el tener un grupo de pertenencia.

En el año 2002, Miike cierra su trilogía y estrena ***Dead or Alive: Finale***, último episodio de la saga. Como ya se ha mencionado, el único eslabón en común entre estas películas es el hecho de que las tres son protagonizadas por **Sho Aikawa** y **Riki Takeuchi**, pero esta última parte presenta sobre su final una relación inesperada con respecto a sus predecesoras, arriesgando que de hecho sí hubo entre las tres un hilo conductor. La acción transcurre en la ciudad de Yokohama, en el año 2346. Allí, un severo dirigente maneja la ciudad con puño de hierro, siendo su máximo objetivo controlar en un cien por ciento la natalidad del lugar. Se trata de una ciudad pobre, decadente, y que muestra una desigualdad social alarmante. En ese lugar, Takeuchi interpreta al oficial Honda, un representante de la ley que está casado y tiene un hijo pequeño. Por otra parte, se encuentra un grupo que se revela ante el poder establecido; esa célula guerrillera es dirigida por Fong, un idealista que aspira a revertir el statu quo del lugar. A ese grupo se une Ryo (Aikawa), un

robot humanoide que fue creado en el pasado y que debido a su condición tiene una fuerza y habilidad sobrehumana. A lo largo del film, Miike presenta ambas facciones en una guerra constante, haciendo foco en las dudas y certezas que Ryo y Honda tienen con respecto a la función que cumplen dentro del grupo que le tocó a cada uno. Si bien Ryo es un humanoide totalmente convencido de la necesidad de luchar contra el orden establecido, Honda, por su parte, se muestra muy dubitativo frente a las decisiones que recibe. Una vez más, Miike indaga sobre la importancia del círculo familiar como núcleo de contención para sus personajes. Ryo, a pesar de no ser un humano, encuentra en esa guerrilla a una mujer y a un niño que lo harán sentir parte de una familia adoptiva, y gracias a ese vínculo emocional, el robot se comprometerá más y más en la lucha social. Mientras que Honda hace el camino exactamente opuesto. Cuando él toma conciencia sobre su propia naturaleza y comprende a su mujer como un organismo artificial, sus valores se derrumban drásticamente.

Al igual que sucede en las anteriores *DOA*, la rivalidad entre los dos personajes roza siempre una cuestión lúdica, de juego autoconsciente que ambos parecieran desear que no termine, casi como si ese enfrentamiento significara el poder suspender el tiempo, evitando que la situación se desmadrara. Esta idea de mantener un enfrentamiento casi hasta el infinito es algo presente en muchos personajes de Miike, que encuentran en la rivalidad una forma de placer efímero, pero al que querrían perpetuar (sucede en *Ichi*, e incluso en otras películas muy anteriores, como *The Way to Fight*).También es difícil negarle un aspecto existencialista a *DOA 3*; el humanoide interpretado por Aikawa reflexiona en varias oportunidades acerca de su vida como una existencia sin sentido. En un momento de la película dice que fue creado con el fin de proteger a los humanos, dando cuenta de que el personaje es muy consciente de su realidad, y preguntándose a sí mismo qué se supone que debería pasar una vez cumplida su misión. Por otra parte, Honda también se siente marcado por la importancia que tiene el hecho de estar vivo, de

poder llegar a nacer, y por ese motivo es que en su interior duda tanto del estricto sistema de natalidad impuesto por su jefe. Sobre el final de la película, los personajes sellan su destino en una última batalla y Miike utiliza en ese momento flashbacks de las películas anteriores. Sería forzado pensar que por eso las *Dead or Alive* obligatoriamente forman parte de una misma continuidad, ya que el objetivo que parece perseguir Miike es uno mucho más espiritual, más trascendental y que tiene que ver con dos "almas" (a falta de una palabra mejor) que parecen estar destinadas a rivalizar y confraternizar infinitamente, en sus muchas vidas y muchas resurrecciones. Es como una especie de historia de amor marcada por una rivalidad amistosa, porque ambos personajes forman parte de un "todo". Miike decide entonces llevar esa idea a una representación concreta y combina a ambos personajes dentro de un androide monstruoso en el que ellos conviven. Ese androide con cabeza de falo es la humorada final de una trilogía que si bien, y por recomendación del propio Miike, no debía ser tomada muy en serio, no deja de tener por eso cuestiones muy vinculadas a su universo como autor. Es un error pensar en el final de *DOA 3* como un chiste caprichoso, y es un error porque el director constantemente deja muy en claro que el verdadero eje de la saga está en la relación que mantienen ambos personajes, en sus diferencias y similitudes. *Dead or Alive*, tomándola como una trilogía temática acerca de las muchas vidas que enfrentaron a estos dos eternos rivales/hermanos, es una verdadera obra maestra.

La siguiente película de Miike se titula **Kumamoto Monogatari** y es uno de los tantos proyectos a los que Miike llega por casualidad. El film está integrado por tres mediometrajes: **Zuiketsu Genzo, Tonkararin Yume Densetsu**; el segundo es **Kikuchi Jo Monogatari - Sakimori TachiNo Uta**, y el último es **Onna Kunishu Ikki**. Estas tres historias fueron impulsadas por el gobierno de Kumamoto, que buscaba desarrollar ficciones que contaran distintos pasajes históricos de esa región. Vistas hoy en día, las tres historias tienen un nivel de calidad notablemente distinto. Esto tiene que ver con que entre las tres hubo

algunos años de diferencia, años en los que Miike creció mucho como director. La primera historia fue realizada en 1998, la segunda en 2000 y la tercera en 2002. Aunque jamás se pensaron como un largometraje unido, con el tiempo sí se estrenaron las tres como parte de un film titulado, como ya se ha mencionado, *Kumamoto Monogatari*. El principal problema la película es que sus episodios son muy desparejos en términos de calidad. Los primeros dos tienen un problema muy concreto: la falta de presupuesto. Si bien Miike jamás necesitó demasiados elementos para contar una buena historia, lo cierto es que tampoco puede hacer milagros (sin ir más lejos, el primer episodio transcurre en su totalidad en un mismo escenario, lo que nos remite a la fallida **Human Murder Weapon**). Se nota que Miike juega con las pocas herramientas a su disposición, y se hace evidente que intenta reforzar lo artificial de la producción a través de efectos digitales notablemente pobres y de actuaciones con un registro evidentemente forzado y melodramático. La solución de Takashi era buena: fortalecer el aspecto kitsch para a través de la artificialidad hacer que la película funcione, pero el objetivo no se cumple y *Kumamoto Monogatari* no loga estar a la altura de su trabajo. La única que funciona bien de las tres historias es la tercera, porque sí está filmada en exteriores y en decorados más profesionales, y por ese motivo las actuaciones son más naturales, arrojando un resultado final mucho mejor. El tercer relato

incluso cuenta con una rareza, y es que la protagonista es una mujer. En una historia basada en la guerra de clanes del siglo VI en Japón, el mediometraje cuenta la posición de una mujer que dejó todo lo que tenía por defender el honor de su clan. Desde los comienzos de su filmografía, Miike no había vuelto mucho a la figura de la mujer como motor del relato (de hecho, las protagonistas femeninas son una rareza en su cine), y por eso es que la heroína de aquí tiene un peso importante en la filmografía de Miike. Pero lo cierto es que en su conjunto, este largometraje compuesto por tres historias deja con sabor a poco, y aunque es un primer acercamiento fallido al jidaigeki (cine de época), afortunadamente no será el último. El objetivo cumplido en *Kumamoto Monogatari* es que sirve como lección de historia para comprender el agresivo rol de Japón en su pasado, y algunos conflictos que atravesó de puertas hacia afuera y de puertas hacia dentro, pero en el camino, lamentablemente, la esencia de Miike terminó perdiendo su fuerza.

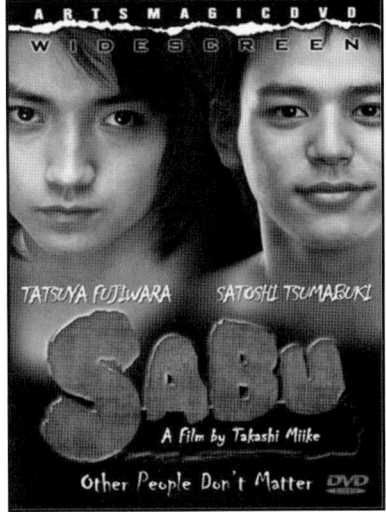

La siguiente película de Miike es **Sabu**, un jindaigeki para televisión estrenado en 2002 y centrado en la amistad de dos amigos: el Sabu del título y Eiji. La película cuenta la historia de ambos y de la niña Nobuko. Los tres se conocen siendo pequeños y ninguno de ellos, por distintos motivos, tiene a sus padres. Sabu y Eiji aprenden el oficio del papel, mientras que Nobuko es forzada a ejercer la prostitución. Los años pasan, ellos se convierten en jóvenes, y Sabu es condenado injustamente a ir a la prisión isla de Ishikawa cuando es acusado de un robo que no cometió. A partir de ahí, el film se divide en dos planos: por un lado relata las crudas vivencias de Eiji en la prisión, y por el otro, la preocupación de Sabu, que intenta continuar adelante con su vida, amargado por el duro momento que debe atravesar su amigo.

Ante todo, hay que decir que esta película es un estudio sobre el deseo de sus protagonistas por construir una familia adoptiva, un tema que en Miike aparece constantemente. El trío de amigos construye un lazo afectivo que reemplaza al familiar, y por ese motivo el violento alejamiento de Eiji cuando va a prisión causa tanta angustia para Sabu. Muchas veces, Miike construye películas armadas desde una base compuesta por dos personajes masculinos que rivalizan o confraternizan (o incluso ambas cosas), y aquí esa variante se encuentra planteada desde el dolor que produce la ausencia. Por eso no es casual que Miike elija comenzar el nudo dramático prácticamente desde el momento en que se separan. Y lejos de mostrar cómo se armó el vínculo afectivo, el foco de la trama está centrado en cómo sobrevivir ante la ausencia del ser querido. Más allá de esto, hay que decir que *Sabu* no es una película lograda del todo (el actualmente popular **Tatsuya Fujiwara**, en el rol de Eiji, no termina de estar a la altura de su personaje) y termina quedando en el corpus de Miike como uno de sus films fallidos. En esta instancia, los dos proyectos de época realizados por el director no terminaron de cumplir las expectativas. Muchos años pasarán hasta que Miike vuelva al Japón antiguo, pero cuando vuelva, será con una obra maestra. Claro que para eso, aún falta bastante…

Shangri La y Deadly Outlaw Rekka

La siguiente película que Miike estrena en 2002, es una vez más otro experimento que en muchos sentidos parece alejarse diametralmente de los tópicos más usuales de su obra. Se trata de ***Shangri La***, una fábula social protagonizada por un grupo de vagabundos y un pequeño trabajador que cae en desgracia económica. La historia comienza con el señor Umemoto, el dueño de una pequeña imprenta en la que tiene unos pocos empleados. Umemoto es un hombre de clase media, un trabajador ejemplar, un padre dedicado (pero a quien sus hijos le prestan poca atención) y un marido atento. Umemoto desea sobre todas las cosas honrar la memoria de su padre, de quien heredó el negocio de la humilde imprenta. Pero la tranquila vida del hombre sufre un cambio drástico cuando un poderoso empresario de nombre Uwazoko, que le debía a Umemoto 10 millones de yenes, se declara en bancarrota (la cual, obviamente, es fraudulenta). El dueño de la imprenta se encuentra acorralado, forzado a despedir a sus empleados sin darles indemnización y, sobre todo, debiendo cerrar su única fuente de ingresos. Decidido a quitarse la vida, Umemoto conoce por casualidad a una suerte de líder de un grupo de vagabundos que viven en un terreno descampado. A este "alcalde" (interpretado maravillosamente por **Sho Aikawa**) le acompaña un inteligente "concejal" (en el que todos confían, pero al que nadie conoce). Cuando el destino cruza a estos hombres, el alcalde junto a su concejal comienzan a idear un

ingenioso plan para dejar en evidencia los oscuros manejos de Uwazoko, y también salvar la imprenta del señor Umemoto. Como se observa en esta sinopsis, la película enfrenta en una historia de marcado corte social a un grupo de humildes (pero astutos) vagabundos contra un mezquino empresario que, como era de esperar, solo piensa en el dinero. En *The Guys from Paradise*, los personajes continuamente hablan sobre dinero, siendo esa una película en la que Miike parece ver el dinero como un ancla que ata a sus personajes a una vida mediocre, pero aquí en *Shangri La*, el dinero tiene otro significado, porque es la única herramienta útil para atacar a los poderosos donde más les duele. Estos vagabundos de Miike no están lamentándose una y otra vez por la falta de dinero, porque esa carencia jamás representa un obstáculo hacia la libertad.

Del grupo de los vagabundos hay otro personaje que vale la pena destacar, porque es uno que sí está vinculado al dinero: se trata de un antiguo empresario que fue despedido por, justamente, haber hecho un desfalco en la empresa donde trabajaba. Ese personaje sirve como doble ejemplo de lo que Miike intenta trabajar en este film: por un lado, refuerza la idea de la avaricia como la característica más negativa que puede tener un individuo, y por el otro, sirve para mostrar que entre los vagabundos de Miike hay gente muy valiosa que fue totalmente descartada por una sociedad que, en muchos aspectos, está totalmente corrompida.

El comienzo de *Shangri La* es raro. En él, Takashi muestra escenas de ciudad, con cientos de personas caminando por calles atestadas de personas, y con imágenes desde el interior del subterráneo que contrastan notablemente

con el descampado de los vagabundos en el que transcurrirá gran parte de la acción. Aunque es una historia de moraleja sencilla, no por eso pierde atractivo. En esa diferenciación que el director hace entre empresarios corruptos enfrentados a vagabundos de corazones nobles, hay un halo innegable a **Frank Capra**, otro director que construyó cantidad de historias similares protagonizadas por familias constituidas a partir de una humilde realidad social. El grupo de pertenencia que encuentra Umemoto cuando conoce al alcalde de esos vagabundos le brinda la fortaleza moral necesaria para desenmascarar al corrupto empresario. Umemoto, por su propia cuenta, jamás hubiera podido llevar a cabo su cometido, y es la bondad del alcalde (y su inteligencia), sumado a su grupo de gente, lo que termina logrando ese cometido.

Cuando la esposa de Umemoto le pregunta al alcalde cómo se llama el lugar que él dirige, el hombre responde "Shangri La", haciendo referencia a la idea de ese paraíso terrenal que se encuentra a salvo de las miserias del mundo exterior. Y así es cómo Miike ve a estos vagabundos, que con sus propias leyes y códigos de conducta, conforman una microsociedad que está muy por encima de los vicios del mundo moderno. Esa familia de hombres sin techo es el grupo de pertenencia que muchos personajes de Miike aspiran tener, pero que ninguno logra alcanzar. Por ese motivo, esta película es una de las más felices de Miike, porque los héroes triunfan y los malvados pierden. Si bien *Shangri La* parece tener poco que ver con la filmografía del autor, eso no es así, porque este film muestra el mundo ideal que Miike sueña para muchos de sus protagonistas, pero que por regla general ninguno de ellos suele alcanzar. Injustamente menospreciada e ignorada, *Shangri La* es una de las historias perfectas de este gran director.

El siguiente film de Miike se trata de **Deadly Outlaw Rekka**, un nuevo relato yakuza. La trama gira en torno a Kunisada, un gánster que tras recibir la noticia de que su jefe fue asesinado, decide tomar la justicia por su mano, desentendiéndose de las alianzas diplomáticas que hubiera entre las distintas familias yakuza. El carismático **Riki Takeuchi** le pone el cuerpo al yakuza del título en una película que, lamentablemente, con el transcurso de los minutos comienza a desinflarse. Lo más evidente es que Miike parece más interesado en montar un largometraje de acción que uno centrado en conspiraciones mafiosas, y eso se revela tanto al comienzo de la película como en el final. Aunque la trama tiene puntos en común con *Agitator*, hay que decir que el corazón de *Rekka* no está puesto en el entramado político de los distintos clanes yakuza y sus rivalidades, sino en las grandilocuentes escenas de acción que, de tanto en tanto, aparecen en los films de Miike. En ese sentido, el film es honesto, ya que abre precisamente con una secuencia muy en la línea de la primera *Dead or Alive* (aunque sin llegar a ese nivel), en la que un viejo yakuza es asesinado, mientras el personaje de Riki Takeuchi escapa de prisión. Esa secuencia inicial delata cuál será la dirección de la película en sus siguientes 90 minutos, que culminarán con Takeuchi, *bazooka* sobre el hombro, derribando edificios casi por completo. *Rekka*, a pesar de ser un film correcto, no termina de convencer, porque si bien la película apunta todos sus cañones a las escenas de acción, lo cierto es que en la carrera previa de Miike hubo muchas (y mejores) de esas escenas. En cuanto al aspecto de thriller yakuza, *Agitator*, estrenada el mismo año, también está muy por encima. Por esos motivos es que *Rekka* es una película que cumple pero que no llega a convertirse en una de las imprescindibles. Igualmente vale decir que más allá de este último film, Takashi cierra con *Rekka* un período en el que realizó varias de sus películas más importantes. En este tramo de su carrera, Miike pasa de ser alumno a convertirse en maestro, porque logra rendirle un verdadero homenaje (en forma de película) a uno de sus grandes padres putativos: **Kinji Fukasaku**.

Capítulo 8

Beber de Fukasaku, el sensei violento

De forma directa o indirecta, la figura de **Kinji Fukasaku** siempre fue determinante para el cine de **Takeshi Kitano** y **Takashi Miike**. Ante todo, la importancia más primaria de Fukasaku es el haber creado al yakuza cinematográfico moderno, uno mucho más violento y salvaje, que se encuentra en las antípodas del yakuza romántico que algunos films mostraron en los albores de ese género. Fukasaku mostraba a delincuentes tramposos que cargaban a sus espaldas una necesidad de violencia y una ambición totalmente desmedida, por la cual eran capaces de entregar a quien fuera necesario. Ante todo, los yakuzas de Fukasaku eran hombres pasionales, entregados por completo a sus objetivos y a una furia que pareciera desbordarlos. Esa furia, Fukasaku solía acompañarla con una puesta en escena rabiosa, que filmaba a esos yakuzas como si solamente una cámara nerviosa fuera capaz de captar la esencia de esos hombres violentos que vivían sumergidos en el más absoluto de los caos.

Fukasaku congela una imagen, y con letras que parecen escritas en sangre, presenta los títulos de sus películas, como si detener el tiempo fuera la única forma de suspender unos segundos a estos hombres que viven la vida con los nervios a flor de piel, y Kinji los sigue con una cámara al hombro que parece salida de un documental urgente al que se debe filmar "ahora o nunca". Los yakuzas de Fukasaku corren, se golpean unos a otros, se disparan con la policía y cometen todo tipo de delito como parte de una rutina desbocada. La forma de Fukasaku de representar a la yakuza tuvo una influencia decisiva en el cine de Miike y

Kitano. El propio Kitano, por su parte, estuvo desde los comienzos de su carrera, muy enlazado a la figura de Kinji (recordemos que originalmente el director de *Violent Cop* iba a ser Fukasaku), y el policía protagonista de su ópera primera, un hombre violento decidido a cruzar cualquier límite en el cumplimiento de la justicia, tiene un eco innegable, por ejemplo, al policía del film *Yakuza Graveyard* (de 1976), un hombre que entendía también que en el cumplir de la justicia era inevitable el cruzar algunos límites éticos. Kitano continúa un camino plantado por Fukasaku, que se caracteriza por redescubrir la figura del yakuza (y de los policías) desde ángulos hasta el momento poco explorados. Muchos yakuzas creados por Kitano, como el de *Boiling Point* o el de *Sonatine*, son hombres que están muy lejos de los yakuzas ultraviolentos que parecen moverse solamente por la ambición del poder y el dinero. Lejos de eso, los de Kitano son yakuzas que se encuentra en un eterno *work in progress*, o sea, yakuzas que constantemente parecen descubrir que el placer no se encuentra en el mundo del hampa, sino en otras cuestiones mucho más sencillas. Son herederos de los yakuzas de Fukasaku en el sentido de que a todos los envuelve un mundo de gran violencia, pero a diferencia de muchos protagonistas de la filmografía de Kinji, los de Kitano no entienden la violencia como el único camino posible en sus vidas, o si así les sucede, al menos se permiten dudar de ello. Murakawa, el yakuza de *Sonatine*, es un hombre que eventualmente debe volver a entregarse a esa vida violenta, pero a la que regresa por una necesidad de fuerza mayor, comprendiendo a su propia vida de yakuza como una maldición que jamás lo soltará.

Sobre el final de su carrera, la obra de Fukasaku se cruzó con la de Kitano cuando el veterano director dirigió a Takeshi en el film **Battle Royale**. Allí, Kitano interpretó a un profesor encargado de dictarle las reglas del juego al grupo de alumnos que debía salir a matar o morir. Se trató de una actuación soberbia por parte de Kitano, y con seguridad Fukasaku fue el director (aparte del mismo Kitano) que mejor comprendió las posibilidades actorales de Kitano, quien compuso un sádico profesor que disfrutaba enormemente del cruel juego al cual eran sometidos sus antiguos alumnos. En *Battle Royale*, cuyo eje está puesto en el enfrentamiento generacional, Kitano encarna a la perfección una adultez resentida que busca desquitar sus frustraciones haciendo sufrir a los más jóvenes. Con esa actuación bajo las órdenes del maestro, Takeshi sellaba simbólicamente un camino que lo había marcado desde el comienzo de su carrera. Porque Kitano, consciente o inconscientemente, tomó para su cine una antorcha temática propuesta por Fukasaku, que se centraba en una cuidada relectura del yakuza moderno según lo entiende el cine contemporáneo. Y Miike, por su parte, también haría lo suyo.

Graveyard of Honor

El cine de Takashi Miike tiene con el de Kinji Fukasaku varios puntos en común, siendo Miike un director que también revela en su cine el costado más visceral de los yakuzas, llevándolo hacia el barro y mostrando los aspectos más crueles de ese mundo. Como los hampones de Fukasaku, pero alejados de los de Kitano, muchos yakuzas de Miike parecen respirar violencia las 24 horas del día. Los yakuzas de Miike, en muchos casos, suelen elegir un camino violento como única forma de conseguir sus metas, como única vía posible de alcanzar una plenitud. No son muchos los delincuentes "arrepentidos" en las películas de Miike, y llama también la atención que en el cine de Takashi no abunden los policías protagonistas.

Fukasaku se encargó de mostrar hombres corrompidos en ambos extremos de la ley, pero Miike no suele interesarse tanto en los policías, sino en los yakuzas (aunque claro que hay excepciones, como el personaje de Sho Aikawa en la primera **DOA**). Es evidente que Miike estudió y analizó la manera en la que Fukasaku construyó a muchos de sus delincuentes, y esta idea de continuar un legado alcanzó un pico muy alto cuando en el año 2002 estrenó *Graveyard of Honor*, remake del film homónimo de Fukasaku estrenado en 1975. El film

de Fukasaku, si bien no alcanza el nivel de calidad de la imprescindible pentalogía titulada *Batalla sin honor ni humanidad*, sí tiene la característica fuerza de las películas de ese director, que se asemeja a un tren desbocado capaz de destruir todo lo que se cruce en su camino. Miike, al momento de realizar este remake, logra imprimirle a su reversión de la historia el mismo pulso acelerado del original de Fukasaku. El logro de Takeshi estuvo en que no decidió calcar al milímetro el relato de Kinji, sino que directamente optó por partir desde la novela original en la que se basó Fukasaku (escrita por **Goro Fujita** y basada en la vida del yakuza **Rikio Ishikawa**). La película cuenta la historia de Rikuo Ishimatsu, un joven friegaplatos que intempestivamente le salva la vida a un jefe yakuza, luego de sufrir un atentado a manos de un hombre armado (interpretado por el propio Miike, que en los cinco segundos que aparece en pantalla desata un huracán de furia fílmica). El yakuza, agradecido, le ofrece al joven Rikuo un lugar dentro de su clan. A partir del momento en el que ingresa a la nueva familia, el antiguo friegaplatos comienza una verdadera ola de violencia que desata sobre los demás, pero también sobre él mismo. Temperamental hasta la médula, Rikuo no duda en matar a sangre fría a sus rivales, acción que lo conduce a prisión. Después de soportar la cárcel y de volver a las andadas, Rikuo se deja llevar por sus instintos más primarios y termina asesinando al jefe de su propia familia yakuza, motivo por el cual se convierte en el objetivo buscado por todos sus antiguos compañeros. Finalmente, un yakuza le da un soplo a un policía, y luego de un feroz tiroteo, Rikuo vuelve a prisión. Allí se las ingenia para escapar nuevamente (tomando leche podrida, una de las secuencias más terribles dentro del cine de Miike), y vuelve para cobrar venganza de los yakuzas a quienes considera sus enemigos. Como es de esperar, Rikuo vuelve a la prisión y allí decide suicidarse arrojándose al vacío.

Graveyard of Honor es una de las películas más viscerales de las dirigidas por Miike. El actor **Goro Kishitani**, que tiene un parecido físico notable con el propio Miike, compone a un yakuza totalmente alejado de cualquier tipo de racionalidad, que a años luz de ser un estratega, es más bien un hombre que piensa con los nervios del primer impulso. Rikuo jamás sopesa las consecuencias de sus acciones, y es más, casi podría decirse que su objetivo no tiene absolutamente nada que ver con subir peldaños en el escalafón yakuza, sino todo lo contrario, porque Rikuo es un yakuza sin objetivos ni metas. La intervención en el restaurante cuando le salva la vida al jefe yakuza no responde a un interés de Rikuo por ingresar a ese mundo, sino más bien a una necesidad casi fisiológica de dar rienda suelta a sus instintos más primitivos. Cuando en el transcurso del film el yakuza se hace adicto al caballo, pone aún más en riesgo su posición dentro del entramado mafioso, ya que esa adicción potencia enormemente su inestabilidad emocional.

Más allá de ser un remake del film de Fukasaku, Miike hace un ejercicio interesante con su versión de *Graveyard of Honor*. La herencia de Kinji no está puesta necesariamente en el respeto que Miike le tuvo al film original, sino más bien en tomar prestado un tipo de personaje que era muy común en el cine de Fukasaku, y que es Rikuo. Los yakuzas de Miike siempre son pasionales y tienen por su trabajo una dedicación casi absoluta; pero no hay otro yakuza en el cine de Takashi que se entregue a sus impulsos de manera tan poco cerebral como lo hace Rikuo. Ese personaje y su volátil conducta demandan esa cámara rabiosa que Fukasaku supo

convertir en su firma y que aquí Miike retoma con plena conciencia de estar homenajeando a uno de sus maestros cinematográficos. Takashi comprende a Rikuo casi como una criatura imposible, como una expresión violenta (y surrealista) de la faceta más violenta del mundo yakuza. Llama la atención en este aspecto el final del personaje, que encarna una idea muy presente en el cine de Miike, centrada en el "levantar vuelo" hacia un destino final. Rikuo engaña al guarda y se arroja de un techo de la prisión. Llevando una manta casi a modo de capa superheroica, encontrándose él en el punto más alto de su ciudad, Rikuo decide poner fin a su vida. Cuando recibe el impacto de la caída brotan de su cuerpo exagerados baldazos de sangre, casi como si en su interior el personaje llevara la maldad absoluta que él mismo ejerció y que terminó con la vida de muchos hombres. Y en esa violenta caída, irónicamente, el personaje se "eleva" hacia su destino último, comprendiendo que ya vivió todo lo que tenía que vivir. Nuevamente, y como es habitual en algunos films de Miike, la película incorpora en ese momento escenas de una grabación casera que muestran un período de felicidad para Rikuo. Esa secuencia Miike la acompaña con las imágenes de una flor que crece en un entorno poco apropiado. La filmación amateur de los yakuzas sonriendo, acompañada de una leyenda que dice *qué divertido, 30 años viviendo en el infierno* junto a la menciona-

da flor, da la idea de un personaje que cumplió un ciclo y que no se detuvo ni por un instante a evaluar cuál era su misión en la vida, sino que se entregó a la tarea de vivir sin más. *Graveyard of Honor* no solo es un film enorme, sino que también sirve para comprender otra cara del director en cuanto al cine de yakuza, porque Miike con este largometraje no solo entrega una nueva obra maestra, sino que le rinde culto a su admirado Fukasaku. Ese culto tiene que ver con contar una historia protagonizada por esos yakuzas salvajes que tanto fascinaban al veterano director. Miike y Kitano comprendieron con gran sabiduría que homenajear al maestro no consistía en hacer películas que parecieran deterioradas fotocopias de sus originales. La forma correcta del homenaje tenía que ver con continuar un legado temático imprescindible a la hora de comprender al cine de yakuza contemporáneo, y tanto Miike como Kitano, cada uno eligiendo un camino distinto, continuaron desarrollando y complejizando la figura del yakuza moderno, como bien hizo Fukasaku con sus salvajes épicas violentas.

Capítulo 9

Takeshis y One Fine Day

A partir del año 2005, **Kitano** comienza una etapa totalmente auto-rreferencial dentro de su obra, una etapa en la que se piensa a sí mismo no solo como director, sino como parte de un engranaje cinematográfico que comenzó mucho antes de su nacimiento y que seguirá mucho después de su muerte. En esta trilogía temática con dosis de autobiografía, Kitano reflexiona sobre el arduo camino del artista, construyendo una serie de films muy arriesgados y dando la espalda por completo a los géneros y temáticas que lo habían consagrado. Es indudable que Kitano, una vez más, necesitaba del cine como herramienta de catarsis, como vehículo para exorcizar fantasmas profesionales y personales. Y tomando ese camino, su cine se convierte en un órgano en constante movimiento, en un híbrido de géneros capaz de saltar de una temática a la otra incluso en la misma película, haciendo que esta etapa de su obra resulte algo inquietante para sus seguidores. Kitano, con su cine, parece tener la necesidad de querer desencajar a su público, de brindar una y otra vez experiencias que signifiquen una mayor entrega de parte de los espectadores, y esta trilogía es el punto culmen de Kitano con respecto a esto. Son tres películas tan apasionantes como complejas, en las cuales el director patea el tablero para detenerse a pensar en el cine en general, en el cine como su expresión artística más personal, y en la torturada realidad de los artistas que eligen hacer a un lado su vida para concentrarse en el imposible camino del triunfo artístico.

La primera película de esta saga es *Takeshis*, estrenada en 2005. *Takeshis* está protagonizada por dos aspectos del propio Kitano. Por un lado se encuentra **Beat Takeshi**, un popular actor de películas yakuza que se encuentra en el pico de su fama, rodeado siempre de asistentes y con una vida repleta de lujos. Por otra parte, se encuentra **Kitano**, un empleado de minimercado que intenta ganarse el pan como actor, de casting en casting pero siempre rechazado. Entre Beat y Kitano hay una evidente similitud física, y ese parecido se tornará más y más alienante cuando, en la segunda mitad del film, ambos personajes comiencen una suerte de fusión imposible en la que Kitano tendrá destellos surrealistas sobre cómo es estar en los zapatos de Beat, y viceversa. Finalmente, todo culminará cuando Kitano, visiblemente cansado de su presente mediocre, decida ir y apuñalar a Beat, para terminar la película con un salvaje tiroteo y con la misma imagen con la que la historia comenzó: un soldado norteamericano apuntando con su rifle al rostro de un Takeshi abatido.

Sin lugar a dudas, *Takeshis* es la película más hermética del director, colmada de imágenes a las que resulta imposible no buscarles mil y una interpretaciones, sin dejar de ser por eso un film que muestra a un Kitano muy encerrado en sí mismo, convirtiendo la película en una guía hacia los infiernos personales de este realizador. Ante todo, *Takeshis* es una película de regresión, un film desde el cual Kitano mira hacia su propio pasado cinematográfico, y qué tanto cambiaron las cosas desde que era un director prometedor hasta este presente de fama y popularidad, y en ese sentido, la escena en la playa es la que mejor sirve para comprender esto. Pasando la mitad del film, el protagonista y su mujer escapan hacia la playa y allí se disponen a descansar junto al resto de los personajes. Es un momento sereno, en el que incluso la mujer se pone a hacer acrobacias, resaltando el carácter calmo de la escena. En las primeras películas de Kitano, la playa solía ser una imagen recurrente, un espacio para el ocio, para la reflexión e incluso un lugar en el cual sanar heridas, era un sitio

en el que los personajes se mostraban tal cual eran. Y aquí, la vuelta de la playa inevitablemente marca el regreso a un período anterior en el cine de Kitano (¿uno quizá más feliz?). Pero esa calma de playa se interrumpe violentamente con la llegada del vecino de Takeshi (interpretado por **Susumu Terajima**, un actor recurrente en los primeros films de Kitano), que se lleva con él a la chica. Y de golpe, el protagonista se ve envuelto en una feroz

balacera contra una legión de samuráis, policías, peleadores de sumo y otras figuras propias del folclore japonés, que aparecen en la playa sin ningún tipo de explicación. Esa escena, que comienza siendo de una belleza estética notable para culminar en una orgía de tiros totalmente gratuita, es un preciso muestrario de cómo Kitano observa el avance de su cine, un avance que no necesariamente implica una evolución. Las dos caras que Kitano muestra en este film son evidentemente dos fuerzas en pugna que viven dentro del realizador; por un lado, el doloroso recuerdo de querer convertirse en una estrella popular sin conseguirlo, y por el otro, el "aburguesamiento" que puede implicar el triunfo popular y la renuncia a buscar nuevos caminos estéticos y temáticos, para amilanarse en un estilo que significa el éxito seguro. Por ese motivo es que *Takeshis* es una película de quiebre, es un ejercicio estético en el que Kitano se mira a sí mismo y comienza a plantearse los miedos que le suponen el enorme éxito comercial tras *Zatoichi*, y cómo seguir ese camino podría fagocitar su mundo artístico. Como su nombre lo indica, *Takeshis* envuelve los demonios y miedos del propio Takeshi, y quizá por eso se convierte en una película tan compleja para quienes no viven dentro de la mente del propio Takeshi Kitano (o sea, todos nosotros).

En 2007, Kitano dirige el cortometraje **One Fine Day**, que forma parte del film colectivo titulado **A cada uno su cine** (Chacun son cinéma). Su historia muestra a un hombre yendo a un cine rural para ver **Kids Return**. Cuando comienza la película, la proyección sufre todo tipo de problemas y se descubre a Kitano como el encargado de la proyección, que en su torpeza, llega incluso a prender fuego el filmico. Es un clip breve, pero que muestra lo inquieto que Kitano se siente sobre su propio cine, y cómo se divierte destruyendo, de manera simbólica, uno de sus films. En esa destrucción, Kitano parece recibir la llegada de una nueva etapa dentro de su filmografía, en la que intentará descubrir qué camino artístico debe tomar.

Glory to the Filmmaker! y Aquiles y la tortuga

También en 2007, Takeshi estrena la segunda instancia de su trilogía temática: *Glory to the Filmmaker!* Para muchos, esta es la película más difícil de Kitano, una comedia totalmente absurda que sigue la misma estela de la injustamente vapuleada **Getting Any?** Aquí Kitano hace un recorrido por su propia obra y se plantea a sí mismo qué camino debería seguir como director y qué tipo de película podría llegar a significarle el éxito comercial. El comienzo del film muestra a un muñeco que representa al verdadero Kitano y al que están sometiendo a un exhaustivo chequeo médico, en una clara alusión al estado "físico" en el que se encuentra la obra artística de Takeshi. Como un paciente al que se le detecta una enfermedad, este muñeco atraviesa distintos estudios, a sabiendas que los resultados no parecen ser muy prometedores. Luego aparece el Kitano de carne y hueso, que arrastra al muñeco por distintos sitios mientras imagina qué camino debería tomar su carrera cinematográfica. Y ese muñeco, que es un peso muerto, señala a un Kitano preso de su obra, como si fuera un rehén del éxito comercial, que ahora está obligado a producir una nueva obra maestra que repita el suceso de *Zatoichi*. Por ese motivo es que justamente el director construye un film tan anárquico, que se coloca en la vereda opuesta y que hasta quizá busca el choque con el espectador.

Con la excusa de descubrir cuál debería ser su siguiente film, Takeshi arma en la primera mitad de *Glory to the Filmmaker!* una estructura de episodios de comedia, en los que satiriza, por ejemplo, al cine de yakuzas. A través de su película, Takeshi parece confesar su desgaste artístico con respecto a ese géne-

ro (probablemente porque sabe que esas películas son las que el público le demanda constantemente). En ese compendio de episodios, el director también se dedica a observar al cine de **Yasujiro Ozu**. El mítico director japonés es considerado por Kitano, al menos en esta película, como el padre absoluto del cine de Japón y por ese motivo es que Takeshi se plantea qué lugar ocupa la figura de Ozu en el arte moderno. La respuesta que el director arriesga es que Ozu está *pasado de moda y jamás una pelícu-la en ese estilo podría convertirse en éxito*. Es una mirada desencantada y una fuerte crítica a las nuevas generacio-nes de espectadores japoneses, que parecen preferir cualquier película mediocre de yakuzas a un film del maestro. Desde la trágica mirada de Kitano parece que lamentablemente Ozu no tiene más un lugar de pre-ponderancia. Luego Takeshi dedica un segmento a los films ambientados en los cincuenta, pero tampoco con-sidera que allí se encuentre la llave del éxito. Y así es como pasan uno a uno los géneros cinematográficos de moda, y en cada uno de ellos Kitano siente que no podría encajar y que su cine jamás va a poder adaptarse a las populares modas que reinan en la cinematografía mundial. Finalmente llega a la conclusión de que el género rey es el de los desastres naturales, y a partir de ahí comienza la segunda mitad del largometraje, centrada en varios personajes que viven en un mundo absurdo que está a punto de desaparecer ante la inminente llegada de un meteorito. Ese segundo segmento es protagonizado principalmente por Kitano, que atraviesa distintas situaciones cuyo objetivo final se torna cada vez más incierto y que culmina en una ridícula historia de amor. A lo largo de ese tramo, Takeshi continúa parodiando distintos géneros cinematográficos, apelando al humor surrealista y riéndose de él mismo (incluso hay un inesperado chiste vinculado a *El Verano de Kikujiro*), volviendo por momentos a sus orígenes como comediante manzai.

El humor físico y la comedia anarquista se condensan de manera salvaje en este cuidado film, al que muchos se apresuraron por considerar "desprolijo". Lo que hace Kitano en *Glory to the Filmmaker!* es una biopsia al cine actual (al que por momentos incluso parece considerar muerto, convirtiendo la biopsia en autopsia). Y lo que sí es innegable es el humor ácido del director, con el que denuncia que el cine se convirtió en algo plástico y sin corazón. En este sentido, resulta ejemplar la escena que parodia a *Matrix*, en la que el Kitano de carne y hueso se alterna con el Kitano muñeco (al que mueve un hombre vestido de negro, parodiando la supuesta sofisticación de la técnica). Esa pelea, que cualquiera podría entender como un gag absurdo, es en realidad una cínica crítica negativa al cine de acción hollywoodiense y al aluvión

de productos sub-*Matrix* que surgieron a partir de esa película. Finalmente, la caótica historia llega a su final, y el meteorito llega a la Tierra y la destruye, incluyendo a toda la galería de personajes que aparecieron a lo largo de la película. Así parece autodestruirse la carrera del propio Kitano, que elige volar sus ideas por los aires como única solución a una carrera artística que parece irreconciliable con el gusto de las masas. Y lo más triste es que Kitano con esta película demostró tener algo de razón. *Glory to the Filmmaker!* es un film que termina siendo un concienzudo ensayo sobre la crisis del cine actual (al menos desde la mirada de Kitano), y cómo muchos directores piensan sus películas no como obras artísticas que reflejen sus inquietudes, sino como piezas de relojería armadas según las modas y formuladas como drogas que puedan ser consumidas de manera masiva, o dicho de otra forma: lo que importa es el dinero. Que *Glory to the Filmmaker!* haya sido tildada de aburrida, de pretenciosa o de ser una película sin objetivos tiene que ver con que justamente los espectadores muchas veces no toleran (o toleramos) ver una película que desacomode, que pida más de lo que usualmente se está dispuestos a dar, y Kitano es un director que todo el tiempo le pide a sus espectadores que salgan de la pasividad y el

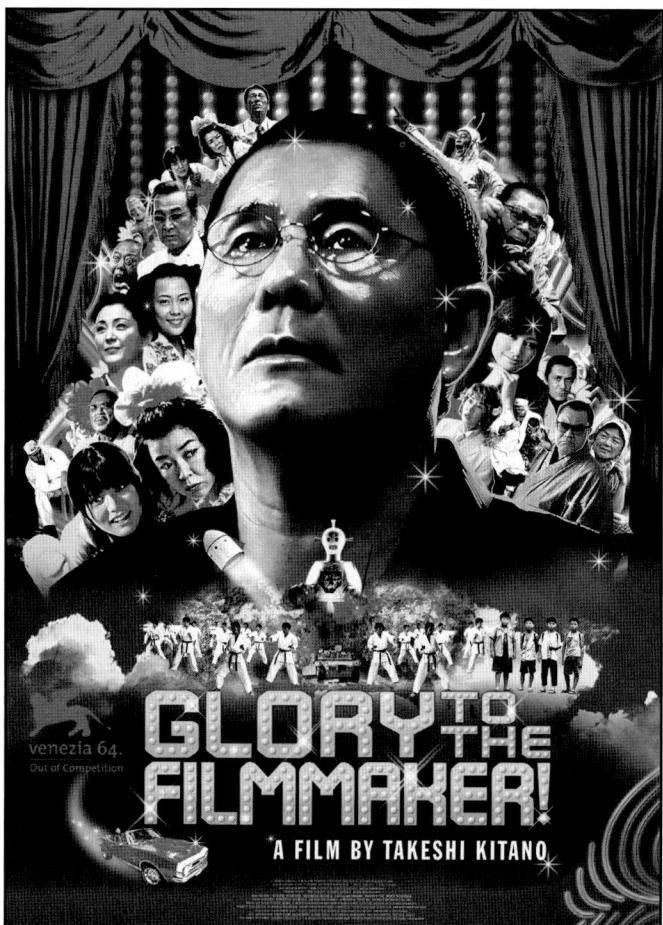

aletargamiento al cual los tiene tan acostumbrados una buena parte del cine industrial. En *Glory to the Filmmaker!*, Kitano le pide al público que despierte de una buena vez, porque le interesa saber si su cine valdrá la pena en un mundo en el cual solo parecen tener éxito las fórmulas preestablecidas. *Filmmaker* es una película de transición, una que pone en crisis la relación entre los espectadores y el cine, y una película que Kitano necesitó para demostrarse a sí mismo que puede hacer una comedia de lo más absurda, sin por eso perder su lugar de autor consagrado. Por suerte, Takeshi continuó haciendo películas, por lo cual algún halo de luz habrá visto en medio de tanta oscuridad.

El último episodio de esta trilogía temática es **Aquiles y la Tortuga**, estrenada en 2008. El protagonista del film es Machisu, un pintor de una pasión inconmensurable pero a quien el éxito le resulta esquivo. Hijo de una familia acaudalada, Machisu es considerado por sus padres y profesores como un prodigio artístico, y todos velan porque nada desvíe al pequeño de su camino vocacional. El destino del niño da un vuelco cuando su padre se suicida y el pequeño es llevado a vivir con su tío, un hombre de campo con muy poca paciencia y que considera el arte una pérdida de tiempo. A pesar de recibir maltratos e incomprensión, Machisu sigue pintando incansablemente hasta llegar a la edad adulta. En esa época conoce a Sachiko, una compañera que admira la visión artística de Mahisu, con la que se casa y tiene una pequeña hija, mientras que el éxito comercial sigue dándole la espalda. Ya a una edad avanzada, Machisu no se resigna y continúa experimentando con todo tipo de técnicas que puedan llevarlo al éxito artístico y comercial, experimentos que involucran a su mujer y que ponen en peligro su relación con ella, porque mientras Sachiko trabaja, Machisu utiliza el dinero para comprar más y más pintura. Finalmente, ella se separa de él, y la hija de ambos termina prostituyéndose y muriendo. En un último experimento radical por conseguir la obra maestra esquiva, Machisu accidentalmente se prende fuego, y no muere de puro milagro. En la escena final, el pintor que jamás alcanzó la fama artística recupera al menos el amor de su mujer.

Aquiles y la Tortuga significa el amargo cierre con el que Kitano observa de qué modo el arte puede condenar a un individuo. El título del film hace referencia a una paradoja matemática en la cual, técnicamente, se supone que Aquiles (grandioso guerrero de la mitología griega) jamás podría alcanzar a una tortuga en caso que ambos corriesen una carrera de diez metros, teniendo

la tortuga 9 metros de ventaja. De hacer la prueba, claramente esto no sería así, pero técnicamente sí es así, y de ahí surge la paradoja (esto está explicado de manera muy didáctica al comienzo del film). Utilizando como punto de partida esa idea, la película se convierte en una fábula centrada en un hombre que persigue sin cansancio el reconocimiento artístico, ¿pero es esa la tortuga? No, la tortuga es otra cosa. El eje de *Aquiles y la Tortuga* no tiene que ver con la pasión, ni con la vocación ni con la perseverancia, tiene que ver con el arte como una maldición, con el amor por el arte como una forma de condena perpetua que obliga al individuo a alejarse de su familia, convirtiéndose en una suerte de ostra incapaz de conectar emocionalmente con nadie. Es imposible, por momentos, no entender a Machisu como un cretino, como una víctima que se convierte en victimario. A Machisu es imposible no quererlo, pero a medida que el film avanza, resulta también imposible no entenderlo como un necio o un miserable. En gran parte, esa personalidad tan egocéntrica tiene que ver con que el niño fue mimado más de la cuenta, apañado por un entorno que lo consideraba una especie de talento inconmensurable al que jamás se debía perturbar. En esa temprana crianza, la mala educación de haberlo criado

entre algodones, también se convirtió en la clave de su obstinación por pintar, sin importar nada ni nadie. Se supone que sería prematuro considerar que de pequeño Mashisu no tenía talento (eso queda a ojos del espectador), pero es indudable que en su adultez, Machisu perdió, o jamás logró, el verdadero talento. Muchas críticas alabaron una romántica idea basada en el mérito de perseguir una carrera artística, pero la película, claramente, va hacia el lugar diametralmente opuesto, y habla más sobre el egoísmo que significa insistir con el éxito sin importar qué suceda alrededor, porque cuando no hay talento, la lucha por el triunfo se vuelve una causa inservible. La hija se muere y la esposa lo abandona (sin mencionar otras tragedias, como la muerte del compañero de arte), todos esos son errores que se podrían haber evitado si Machisu se hubiera dedicado a su familia y no a perseguir un sueño caprichoso, y el arte para Kitano es entendido como una maldición. Esta idea es ejemplificada con claridad cuando el pintor aficionado que conoce Mahisu de niño muere

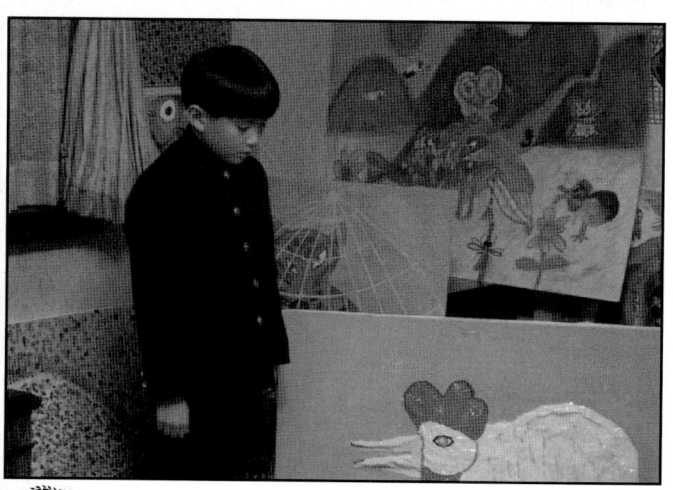

atropellado por un bus al que intentaba dibujar. Ese pintor no tenía posibilidades de triunfar, y ese capricho por obedecer al amor por el arte lo llevó a la tumba. Esa escena es una señal de advertencia para el protagonista, una señal que parece gritarle "dedicarse al arte, es morir", pero el niño elige no prestarle atención. Desde un punto de vista pesimista se diría que la tortuga a la que hace referencia el título es la resignación. La película cierra con Machisu revoleando la lata de gaseosa que intentaba vender como obra de arte, eligiendo de una vez por todas dedicarse a su relación de pareja, alcanzando así una plenitud de la que jamás había gozado. Como un Aquiles que intentaba ganar una carrera técnicamente imposible, la tortuga representa no el éxito artístico, sino el comprender que el arte no es cosa para cualquiera, y que Machisu logrará vivir su vida con plenitud el día en que decida dedicarse a hacer feliz a los demás y no solo a él mismo. La triste mirada de esta película es que Kitano no considera el arte como una expresión que nos eleva, sino como una que nos maldice. Y es imposible no vincular eso con la propia vida del director, que tras su grave accidente encontró en la pintura una válvula de escape a su depresión. Machisu, como Kitano, logra escaparse de su amor por el arte, en lo que podría significarle un futuro próspero en el plano de lo personal. Kitano, preso de su éxito, jamás podrá escaparse ni del arte ni de lo que esperan de él sus seguidores. Machisu se reivindica y alcanza a la tortuga, pero Kitano jamás podrá alcanzarla, condenándose a sí mismo a una vida de sacrificios que lo acompañará hasta el fin de sus días. Y esa es la verdadera tragedia de este artista, que a partir de aquí decidirá hacer un cine menos arriesgado. Kitano, a diferencia de Machisu, no tuvo un final feliz.

Capítulo 10

The Man in White y Yakuza Demon

Esta nueva etapa en la filmografía de Miike, si bien es breve, sirve para comprender la necesidad del director por continuar sumergiéndose en nuevos géneros que le eran desconocidos. Esta idea demuestra que a pesar de contar con más de cuarenta películas en su haber, este realizador nunca dejó de sentir una clara inquietud por explorar nuevos terrenos, y si bien los universos yakuzas siempre están presentes (y lo estarán), Takashi intentará no amilanar su estilo ni dormirse en los laureles.

El primer proyecto que Miike estrena en 2003 es *The Man in White*, una película que devuelve al director al mundo de la yakuza. Como sucediera con otros títulos suyos, hay algo de confusión con respecto a la versión internacional de esta película. Fuera de Japón, *The Man in White* fue generalmente distribuida como una película única de 150 minutos, pero esa versión es en realidad un montaje realizado a partir de los dos films que integran la saga. Originalmente en Japón, *The Man in White* tuvo una primera y una segunda parte. La suma de ambas es de 208 minutos aproximadamente, lo que deja en evidencia que la versión internacional sufrió un severo corte. Como sucede con muchas sagas que desde su concepción son pensadas para ser narradas en varias entregas (como es el caso de *Agitator* o *The Third Yakuza*), *The Man in White* bien podría ser considerada una película integral de tres horas y media. La segunda parte, titulada *Requiem for a Lion*, comienza con el obligatorio resumen de lo que sucedió en el film previo, para luego retomar directamente la historia. El protagonista en

The Man in White es Asuza, un yaku-za que siempre se viste de blanco y que de niño sufrió un terrible golpe: su padre murió a manos de su hermano, lo cual liquidó a su familia por completo. Asuza crece y se incorpora a un clan criminal, pero el destino parece burlarlo cuando presencia la muerte de su jefe delante de sus propios ojos. Decidido a cobrar venganza y enfrentarse a quien sea, Asuza comienza una vendetta personal que lo llevará a enfrentarse a un peligroso rival, que tendrá una inesperada relación con su pasado. *The Man in White* no es un film muy novedoso, incluso es bastante similar a otras películas del autor (especialmente a *Rekka*, su película anterior), pero Miike, decidido a no repetirse, pone el acento en la puesta en escena. Si bien hay películas de Miike que evidencian un delicado trabajo de montaje, también hay muchas que son realizadas contra reloj, por lo que Miike siempre suele apelar a mucha cámara en mano en vez del clásico esquema de plano/contraplano tan utilizado en el cine. Y *The Man in White* es con seguridad uno de los films en los que Miike mejor utiliza esta idea de una cámara frenética. El estilo del director en estas dos películas (aunque mucho más en la primera) parece un cine de guerrilla, un cine amateur, que filma de manera clandestina para robar las imágenes que luego va a utilizar. La cámara tiembla, se acerca apresurada a donde está la acción, va captando los rostros según quién habla, y se mueve vertiginosamente marcando a cada uno de los interlocutores (las reuniones yakuzas alrededor de una mesa central son buen ejemplo de esto). Esta forma de puesta en escena resulta de gran atractivo para una película de yakuza tradicional, protagonizada por un típico antihéroe de Miike (un huérfano que busca sus raíces y que elige la venganza como única razón de vivir). *The Man in White* es un ejemplo evidente acerca de cómo Miike intenta refrescar un molde preestablecido, dándole un renovado atractivo e intentado reformular, ya no desde la trama sino desde la forma en que esa trama es representada.

El siguiente film de Miike estrenado en 2003 es **Gozu**, un largometraje que sigue una estela similar a la *de Visitor Q*, convirtiéndose en uno de los proyectos más extraños, pero más personales, de este ecléctico director (la traducción del film según el título original japonés sería *Teatro del horror yakuza: cabeza de vaca*). El proyecto de *Gozu* surgió inicialmente como un film para editarse en el mercado del DVD, pero tras recibir una cálida acogida en el festival de Cannes se decidió lanzar al cine. Escribir sobre *Gozu* es una difícil tarea, principalmente porque es un film que apela casi exclusivamente a las percepciones, a una cuestión vinculada a las emociones más elementales, siendo un largometraje que poco a poco va deshaciéndose del hilo argumental para sumergir al espectador en los extraños climas que inundan la película. Claramente, el objetivo de Miike con *Gozu* tiene que ver principalmente con el clima de locura que envuelve al protagonista. La historia comienza cuando a un joven yakuza de nombre Masami le encargan que lleve en auto hacia Nagoya a otro yakuza de nombre Ozaki. El verdadero objetivo del viaje es hacer matar a Ozaki, dado que se convirtió en un hombre paranoico, casi al borde de la demencia, algo que supone un severo riesgo para el resto de su clan. Masami, que siente por Ozaki una gran lealtad, inicia el viaje envuelto en dudas sobre su misión, pero la situación da un vuelco inesperado cuando en medio del viaje Ozaki desaparece misteriosamente. A partir de ese momento, Masami comenzará una búsqueda desesperada para encontrar a su compañero, y en esa búsqueda, el protagonista comienza a encontrarse en situaciones más y más surrealistas, que involucran a toda clase de extraños personajes. Finalmente, y cuando cree descubrir que Ozaki murió, una mujer se aparece ante Masami diciéndole que ella es Ozaki. El joven yakuza, resignado, decide creer eso y lleva a la mujer ante su jefe. Como es de esperar, el resto del clan no le cree en absoluto, y el jefe yakuza decide llevarse a la chica para acostarse con ella. Ya en su departamento, el jefe muere, y Masami decide tener relaciones sexuales con la chica, a pesar de estar convencido que se trata de Ozaki. De esa situación emerge de la vagina de la mujer el mismísimo Ozaki. Este brevísimo recuento de sucesos sirve para comprender el nivel de extrañeza que Miike busca con *Gozu*, donde la lógica queda totalmente enterrada bajo capas y más capas de surrealismo. Y en esas profundidades experimentales, totalmente alejadas de cualquier tipo de verosimilitud, se encuentra el propio Miike.

Ante todo cabe destacar el clima casi **Lynchesco** (por **David**) de esta película. *Gozu* es una pieza que resulta imposible no vincularla a ***Carretera Perdida***

(Lost Highway, 1997), justamente por esta lógica de la no lógica, y por ser una película centrada más en las emociones del espectador que en la verosimilitud de su trama. La cámara estática, prácticamente quieta, y el uso de sonidos fuertes que aturden al espectador, son recursos muy típicos en el cine de David Lynch, y que en esta película son reutilizados (consciente o inconscientemente) por Takashi. De hecho, el sonido del violonchelo que parece marcar el ingreso hacia un clima de pesadilla remite al insoportable llanto del bebé en ***Cabeza Borradora*** (Eraserhead, 1977). Otro aspecto de *Gozu* que la vincula al cine de Lynch, tiene que ver con cómo el espectador empieza a mimetizarse con la alterada percepción de la realidad que tiene el protagonista del film, y cómo el público, paulatinamente, acepta con más y más naturalidad situaciones totalmente imposibles de concebir.

El nivel de extrañamiento que inunda a la galería de personajes que Masami va conociendo, llega a su cénit en la escena del hombre con cabeza de vaca. Con apenas panear la cámara de izquierda a derecha, y apoyándose en la música, Miike construye un preludio de pesadilla, que da paso a esa extraña criatura. Es un punto de quiebre porque la película, en esa instancia, se vuelve autoconsciente de su surrealismo, y el espectador hace allí un pacto de absoluta entrega. A continuación, cuando finalmente aparece Ozaki con la apariencia de una mujer, uno parece recibirlo con una naturalidad que, vista a la distancia, resulta imposible. El espectador, más tarde o más temprano, se resigna a creer en todo lo que sucede en *Gozu*, porque la propuesta de Miike tiene que ver con que la locura aparente está envuelta en una lógica absoluta, y provocar que el espectador termine creyendo en toda esa locura es la prueba de la excelencia con la que el director es capaz de manipular a su público (por cierto, la idea de un personaje que cambia de apariencia es otro elemento que también remite al protagonista de *Carretera Perdida*).

Gozu es una película que tiene mucho que ver con la idea del nacimiento. Continuando una temática presentada en *Visitor Q* sobre la lactancia erótica, aquí ese mismo elemento vuelve a aparecer con más fuerza, y como también sucede en *Visitor Q*, esa lactancia erótica pierde su condición sexual para convertir la leche en herramienta de vitalidad, como fuente de vida y creación.

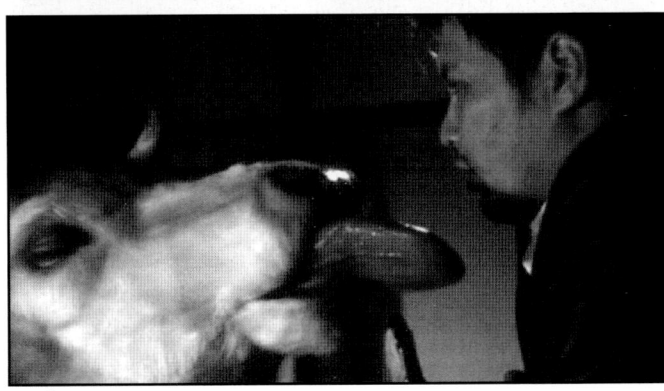

Durante su viaje, Masami pasa por una hostería en la que es recibido por una anciana y su hermano. La mujer le ofrece al protagonista leche de su pecho, que él rechaza categóricamente, para luego descubrir que ella la envasa en pequeñas botellas. Más adelante, Masami observa que el hermano de la mujer toma la leche del pecho como si fuera un bebé (imagen con la que justamente cierra *Visitor Q*). La leche está presente en toda la película, y no es casual que justamente sea un hombre con cabeza de vaca el que se le presente a Masami, siendo ese un animal que da también leche. Para Miike, la leche es la herramienta fundamental de la vida, y en gran medida esa locura que envuelve paulatinamente a Masami tiene que ver con un renacer. La mujer, como dadora de vida, es una figura de gran importancia en *Gozu*. Aunque el cine de Miike no tenga una abundancia de grandes personajes femeninos, en este film la situación es distinta, porque al tratarse de una película que se centra en el nacimiento es indispensable poner el foco de atención en la figura femenina. Aparte de la mencionada anciana, la otra mujer importante es la que aparece diciendo que es, en realidad, el desaparecido Ozaki. Ozaki se quejaba de que el jefe pensaba con su entrepierna, y que esa sería la razón que llevaría al clan a la perdición. Cuando Ozaki/mujer se presenta ante el jefe, le dice que es la hija de un viejo conocido. Por ese motivo, el jefe se la lleva a su casa para hacerle el amor, dando pie a una situación que termina con la muerte del yakuza. Que Ozaki critique la idea de minimizar a las mujeres, pensándolas solo como herramientas de placer, nuevamente tiene que ver con que Miike castiga a los personajes que las entienden a ellas de ese modo, ignorando el rol vital de las mujeres como dadoras de vida. Por último, la escena de la Ozaki/mujer pariendo al Ozaki/hombre se convierte en la culminación de esta idea, porque la mujer es imprescindible para la vida. Y lejos de hacer desaparecer a esa fémina que dio a luz al Ozaki/hombre, la conserva y la agrega al dúo conformado por él y Masami. En cierto sentido, Miike parece reflexionar sobre la fantasía yakuza acerca de la necesidad de integrar a la mujer a un mundo netamente masculino, casi criticando el que los hombres no sepan valorar la importancia de las mujeres que los rodean. En *Gozu*, la felicidad tiene aspecto de mujer, y la locura que envolvió a Masami durante todo su camino sirvió para otorgarle ese nuevo punto de vista y verlo renacer como un hombre nuevo. *Gozu* se convierte así en una de las grandes películas de Miike, y en otro de sus films más personales.

Luego del *tour de force* que supuso *Gozu*, Miike vuelve a un terreno totalmente conocido: el cine de yakuza. De Takashi podría decirse que es el inventor de un subgénero que podría llamarse "Riki Takeuchi, destrozando todo lo que tiene por delante". Repitiendo básicamente un esquema similar al de ***Deadly Outlaw Rekka*** (aunque aquí un poco más complejo y menos virado hacia el absurdo), ***Yakuza Demon*** es un largometraje de acción pura y dura. El protagonista de la historia es Seiji, un yakuza que, decidido a mantener intacto el prestigio de su clan, decide llevar adelante una guerra casi personal contra las familias rivales, después de que su jefe fuera enviado a prisión. Si bien el personaje de Takeuchi es una variante típica del yakuza de Miike (huérfano, que encuentra en el jefe de su clan al padre que no tuvo, teniendo por él una

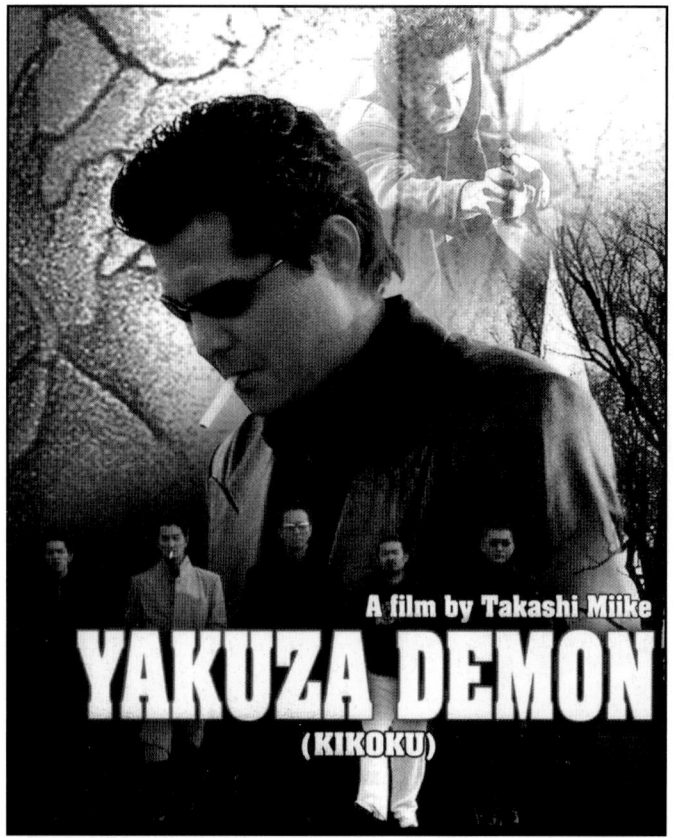

A film by Takashi Miike
YAKUZA DEMON
(KIKOKU)

lealtad a prueba de balas), y si bien hay traiciones de todo tipo e incluso una ligera filosofía pacifista que se asoma hacia el final de la película (y que al protagonista le termina costando, literalmente, su propia vida), la trama de *Yakuza Demon* no es más que una excusa para ver a Riki desplegando su gigantesco carisma en decenas de salvajes tiroteos. El film, que fue editado directamente para el mercado del vídeo, es una película correcta, en la que Miike demuestra su absoluta maestría a la hora de sumergirse en este género. Pero más allá de eso, *Yakuza Demon no* deja de ser un film moderado, que dejará con ganas de más a los fans que mejor conocen el universo de este director. Lo que se dice "una película correcta".

De El Negociador a Tres Extremos

El siguiente film de Miike, **El Negociador** (Koshonin, 2003), es un acercamiento al género policial, más precisamente al subgénero en el que todo gira alrededor de una toma de rehenes. La acción comienza cuando un trío de delincuentes, luego de robar un pequeño mercado, se refugia en un hospital y pide una fuerte suma de dinero para liberar a los rehenes. En un primer momento, la encargada de negociar con los delincuentes es MaikoTohno, una agente confinada a trabajo administrativo y de la que rumorea que tuvo un *affaire* con un hombre casado. Ese hombre casado es el inspector Ishida, superior de Tohno, que una vez llegado al hospital se convierte en el máximo responsable de negociar con los delincuentes. El panorama se complica notablemente cuando se revela que la esposa de Ishida, que está enferma de cáncer, forma parte del grupo de rehenes dentro del sanatorio. Como todo buen policial, la trama da varios giros inesperados, complejizando notablemente lo que parecía una simple toma de rehenes, para adentrarse en una dolorosa

historia pasada que involucra a Ishida, a su esposa, y a Tohno. *El Negociador*, sin ser una obra maestra, es una película notable en la que Miike demuestra su habilidad para llevar adelante un policial de estructura tradicional, sin necesidad de violentar las convenciones del género. Esta película posee un elemento que (como ya vimos anteriormente) escasea mucho en la filmografía de Miike: la mujer como protagonista. *El Negociador* comienza con Maiko realizando trabajo de papeleo, mientras otros compañeros cotillean respecto a los rumores de infidelidad y aborto que envuelven a la mujer, y que probablemente por andar con otro policía casado, ella recibió como castigo el trabajar detrás de un escritorio. Frente a esos rumores, Maiko se muestra indiferente. Ese es un momento breve, pero sirve para construir a una mujer fuerte en un lugar de total protagonismo. Cuando la toma de rehenes comienza, Maiko es la encargada de liderar un grupo compuesto por hombres, y aquí es donde surge un rasgo feminista muy atípico en el cine de Miike, porque la mujer policía es una profesional que está a la misma altura de sus pares, y que juega en igualdad de condiciones dentro de un universo netamente masculino. Esa idea de una mujer fuerte podría discutirse cuando, con la llegada de Ishida, Maiko queda relegada a un segundo lugar, pero la resolución del conflicto pondrá a Maiko, e incluso a la esposa de Ishida, como las mujeres poderosas del film, proponiéndolas a ellas como los personajes más astutos de un mundo masculino. Otro aspecto interesante en *El Negociador* es la presencia de personajes muy reconocibles del universo de Miike, pero que aquí parecen relegados a un puesto menor. El trío de delincuentes que roban el mercado (que como se sabe en el film, no es el mismo que termina orquestando la toma de rehenes), forma parte de ese folclore de delincuentes extranjeros que terminan en Japón, y que tanto interesan al director. Delincuentes de los que se sabe poco y nada, pero que en el país del sol naciente quedan resignados a aceptar peligrosos trabajos en los que se exponen mucho, para obtener poco.

Una última idea muy común en el cine de Takashi, y que reaparece en esta película, es la de una familia desintegrada. En el film se descubre que Ishida y su mujer debieron atravesar una trágica historia que los desintegró como núcleo familiar, provocando en ellos una serie de reacciones que se van descubriendo a medida que la trama avanza. Ese dolor ante el golpe concreto que recibe ese núcleo, y las decisiones que se toman a partir de esa carencia, muchas veces son el motor que mueve a los personajes de Miike. *El Negociador* es una película netamente de género, en la que Miike parece intentar un acercamiento al policial más duro y a sus reglas más sagradas. La forma en la que Takashi respeta el esquema tradicional, sin por eso renunciar a agregarle al film ingredientes propios de su cine, es lo que convierte a *El Negociador* en uno de los policiales más perfectos de su carrera.

Esta idea de Miike jugando con distintos géneros, pero intentando agregarle aspectos propios de su filmografía, fue un experimento exitoso en *El Negociador*, pero no tanto en su siguiente película: ***Llamada Perdida***. Estrenada en 2003, este largometraje gozó de enorme popularidad en su momento, convirtiéndose en el puntapié inicial de una exitosa franquicia. La protagonista de la película es Yumi, una joven estudiante que se convierte en testigo de misteriosos asesinatos sobrenaturales que golpean en su entorno. Sus amigos reciben extrañas llamadas perdidas que vienen precedidas por un tenebroso *ringtone*. En esas llamadas se vaticina el día y la hora de la muerte del dueño

del móvil, y cuando Yumi se convierte en el blanco de ese macabro juego comienza a investigar el caso con el objetivo de esquivar un posible destino manifiesto. A lo largo de las casi dos horas de duración que tiene esta película se vuelve imposible esquivar la siguiente pregunta: y Miike, ¿dónde está? Pues aquí no está por ningún lado. A pesar de ser una buena película de terror, a

pesar de tener una puesta en escena prolija y unas secuencias terroríficas que pueden congelarle la sangre al espectador más asiduo a este tipo de cine, *Llamada Perdida* no deja de ser una película "correcta" en la cual la mano de Miike se pierde entre tantos vicios de un género que se popularizó enormemente por esa época. Es que la moda del terror oriental lograda gracias a ***La Maldición*** (Ju-On, 2002), ***El Círculo*** (The Ring, 1998), y otras más, impusieron una forzada ola de films similares, en la que muchos directores se vieron involucrados de la noche a la mañana, y a Miike también le tocó poner su grano de arena dentro de esa duradera moda. Quizá lo que más llama la atención con respecto a *Llamada Perdida* es que no se trata de la primera vez en la que Miike hace un film que debe ser respetuoso del género al que se circunscribe, pero en el pasado eso jamás había sido motivo para descuidar el resultado final. De hecho, *El Negociador* es una buena prueba de un film estrictamente de género al que Miike supo otorgarle un valor extra, pero en *Llamada Perdida* parece que a Takashi ni siquiera le interesó el personaje protagónico femenino, una heroína totalmente desdibujada que pudo haber tenido potencial para lograr mucho más. Lo que sucede en *Llamada Perdida* es que la película termina siendo tan prolija y tan correcta que al experto en el universo de Miike puede dejarlo algo indiferente. La prueba más absoluta con respecto a la despersonalización que tiene *Llamada Perdida* es la facilidad con la que otros directores pudieron retomar el hilo temático de este universo, porque la saga tuvo una segunda y tercera parte, e incluso hasta una serie de televisión de diez episodios (más allá del consabido remake americano que se estrenó en 2008). A lo largo de la película se percibe el intento del director por poner en jaque ciertas convenciones del género, principalmente a través de un monstruo al que Miike intenta humanizar, pero lamentablemente eso tampoco llega a buen puerto. Con seguridad lo más llamativo del asunto es que la película no es mala en absoluto, pero eso no le alcanza para convertirse en una buena película de Miike, y quien intente acercarse a este autor a través de este film con seguridad se llevará una impresión totalmente equivocada. La moraleja que deja *Llamada Perdida* es la constante intención de Takashi por acercarse a géneros que le son nuevos, y que si bien esta película tuvo un acabado poco personal, no por eso deja de significar un paso hacia adelante en su eterno explorar por nuevos terrenos cinematográficos.

La siguiente película de Miike, y la primera en ser estrenada en el año 2004, es ***Zebraman***, otro largometraje que significa para el director el primer acercamiento a un género con el que nunca había trabajado. *Zebraman* es una película basada en el amor hacia los tokusatsu, o sea, las ficciones japonesas en acción real, protagonizadas por guerreros que se enfrentan a todo tipo de peligrosos monstruos. El héroe de *Zebraman* es Shinichi Ichikawa (interpretado por **Sho Aikawa**, un actor que en manos de Miike sigue siendo de lo más polifacético). Shinichi es un maestro de escuela al que sus alumnos no respetan en absoluto. Para colmo, el profesor tiene una pésima relación con el resto de su familia: su hija adolescente apenas registra su presencia, para su esposa es un completo desconocido, y su hijo pequeño lo ignora debido a que es maltratado por sus amigos, que se burlan de él por tener un padre tan inútil. Para refugiarse de esa triste realidad, Shinichi se obsesiona con una vieja serie de la que es prácticamente el único fan. Se trata de *Zebraman*, un programa televisivo de los setenta que fue cancelado luego de apenas siete episodios. Entusiasmado con la idea de impartir justicia homenajeando a su héroe, el profesor se cose su propio traje de *Zebraman* y sale a combatir el mal, mientras que en su vida como maestro conoce a Shinpei, un niño pequeño en silla de ruedas con el que establecerá una relación muy cercana. El pequeño es hijo de una madre viuda, y esa mujer también se convertirá en una persona muy especial para el maestro. Pero todo cambiará cuando extraños villanos comiencen a aparecer en la noche, y Shinichi, en su traje de Zebraman, decida salir a combatirlos. El profesor, enfundado en su traje, le hará frente a todo tipo de riesgos (que incluye, en un comienzo, a una legión de niños poseídos, un recurso que remite inmediatamente al film *¿Quién puede matar a un niño?* de 1976, del gran Chicho Ibáñez Serrador), para luego dirigirse hacia la batalla final contra un pequeño ejército de extraterrestres, descubriéndose allí dueño de un poder inimaginable que lo acercará a su hijo y lo convertirá en el gran defensor del planeta Tierra. El largometraje, que está basado en el manga homónimo de **Reiji Yamada**, pertenece al grupo de los grandes films de Miike. Al igual que sucedió en *El Negociador*, *Zebraman* es un largometraje que, si bien corresponde a un género concreto, no por eso deja de tener los temas que tanto obsesionan al director. En principio, un tópico que presenta *Zebraman* y que se repite en la obra de Takashi es la importancia de una familia como círculo de pertenencia. La primera tragedia de Shinichi es, obviamente, formar parte de un núcleo familiar que lo odia, o en el mejor de los casos, que lo ignora. Esa carencia se traduce en tener una vida que lo hace sentir muy miserable, cuyo único alivio es disfrazarse de un viejo superhéroe. El comienzo de una nueva

etapa para el personaje se presenta con la llegada de Shinpei y su madre, a los que Shinichi adopta como una segunda familia, una de la que sí se siente un integrante querido. Esa familia alternativa le significa una subida en su auto-estima, que crece a la par de su rol como vigilante de la ciudad. Mientras el afecto por esa nueva familia crece, también lo hace su álter ego, y en esa construcción del héroe conocido como *Zebraman*, Shinichi también se gana el afecto de su pequeño hijo, que descubre la doble vida de su padre. Es interesante que desde la óptica de Miike, el concepto de "realidad", para el personaje, comienza a alterarse, entremezclando lo real y lo fantástico como parte de una misma rutina, dirigiéndose así a un camino similar (pero mucho menos oscuro, obviamente) que el recorrido por el protagonista de *Gozu*. Y al igual que sucede en ese film, ese camino hacia la locura termina invadiendo la realidad cotidiana y permitiendo al protagonista descubrirse y mejorarse a sí mismo. La fantasía de la Zebra-Nurse termina haciéndose realidad, y a medida que el film avanza, la realidad de Shinichi comienza a parecerse más y más a su sueño de convertirse en un popular superhéroe como su admirado *Zebraman*. Es interesante que la película no cuente cómo es que Shinichi decide refugiarse en su álter ego, sino que la ficción comienza con la decisión ya tomada. Esto habla de la claridad de Miike para ir al grano de la cuestión, sin necesidad de caer en preámbulos extensos que hubieran servido únicamente para remarcar la miseria de su protagonista. Para los personajes de Miike, la ausencia de un grupo de pertenencia es el principal motivo de sufrimiento, y luego de que el director ya contara decenas y decenas de películas protagonizadas por hombres que sufren ese destierro, se entiende que en *Zebraman* (que es una película apuntada al público infantil) Miike quiso ahorrar a sus espectadores ese período de sufrimiento que, seguramente, atravesó el personaje de Shinichi. De hecho, la película es claramente un ascenso y reivindicación de un personaje mediocre, que recorre un camino que termina en el éxito y reconocimiento

(por parte de conocidos y extraños) que tanto merecía. Sho Aikawa, que es lo más parecido que Miike tiene a un álter ego cinematográfico, es de lejos el actor más representativo de Takashi, ya que es capaz de representar tanto a despiadados policías como a peligrosos asesinos, perturbados yakuzas o a astutos vagabundos. Aikawa tiene en su rostro el gigantesco abanico de personalidades que Miike necesita para su también gigantesco abanico de géneros cinematográficos. Para este director, que con tanta frecuencia salta de un universo al otro, la presencia de un actor como Aikawa es clave para su cine, y no es casual que Sho haya aparecido en películas tan opuestas entre sí. En esas variaciones, Miike encuentra un valor agregado, que es el que intenta otorgarle a su propio cine. Y en *Zebraman*, película de una tónica aventurera totalmente nueva para Miike, la presencia de Aikawa se convierte en una pieza indispensable al momento de sumergirse en un tokusatsu. La aventura que supuso *Zebraman* fue uno de los proyectos más importantes que Takashi realizó en este período, convirtiéndose en un verdadero director todoterreno y realizando por primera vez un film para toda la familia con el que resulta imposible no entusiasmarse. La nostalgia, tan presente en el cine de Takashi, está atravesada por el personaje de Shinichi, que mira obsesivamente ese viejo programa que tanto ama. Y esa nostalgia es también la del propio Miike, que eligió para la canción de *Zebraman*, al mítico vocalista **Ichirou Misuki** (responsable de la canción de ***Mazinger Z***, entre muchas otras). Sin lugar a dudas, *Zebraman* es una carta de amor no solo a los viejos héroes tradicionales, sino también un sentido homenaje a los populares seriales de la infancia.

En 2004, Miike recibe la oferta de participar en un film colectivo en el cual también trabajarían **Chan-Wook Park** (Corea del Sur) y **Fruit Chan** (China). Como una suerte de ***RoGoPaG*** perverso, ***Tres Extremos*** es un largometraje compuesto por tres episodios autoconclusivos. El mediometraje de Miike, titulado ***Box,*** es el encargado de abrir el film. Se trata de una película de cuarenta minutos, en la cual Takashi explora la enorme culpa que siente una joven mujer después de matar accidentalmente a su hermana. Como muchos films del director, la historia muestra a una joven que rápidamente se transporta al pasado para recordar una infancia perturbadora, en la que ella junto a su hermana practicaban ballet para una especie de circo de 'freaks'. Bajo la tutela de un despreciable maestro de ceremonia, el número de las hermanas consistía en encerrarse cada una en una diminuta caja, que luego se abría para mostrar solamente flores. Pero Kyoko está celosa de Shoko, que es la favorita de su maestro y con el que tiene una relación prohibida. En un acto de maldad, Kyoko encierra en la caja a su hermana, pero en un accidente se prende fuego y la niña muere al instante.

Esa muerte será la gran culpa que cargue la joven durante el resto de su vida, y que la alcanzará en su adultez, cuando reviva la pesadilla al descubrir qué hay en esa vieja caja en la que murió incinerada su hermana. Como segundo film de terror (el primero fue *Llamada Perdida*), Miike giró drásticamente el eje del horror, eligiendo como núcleo de su historia ya no un monstruo asesino, sino a una abrumadora sensación de culpa. Esa culpa, que parece devorar a Kyoko desde sus entrañas, la hace vivir en una pausa constante, como si toda su vida fuera un enorme clima de enajenación. Y esa sensación de extrañamiento que rige la vida de la protagonista, Miike la construye a través de una muy precisa puesta en escena: la cámara tiene movimientos casi imperceptibles, los personajes prácticamente no se mueven y el constante uso de una música mínima no solo sirve para sonorizar el universo de pesadilla de *Box*, sino que también marca y conecta a Kyoko con ese trauma que la atormenta. Por todo esto, el mediometraje es, como film de terror, mucho más efectivo que *Llamada Perdida*, y tiene que ver con que Miike descubrió que el horror proviene no tanto desde la amenaza externa, sino más bien desde los temores internos. Aunque en *Box* esos temores luego cobran forma concreta y terminan por asfixiar a la protagonista como si fuera una muñeca de porcelana, Miike entiende que la relación perversa entre ambas hermanas es el verdadero corazón del conflicto.

Otro aspecto que llama la atención en *Box* es lo opuesto que es a sus compañeros de ruta en *Tres Extremos*, ya que los mediometrajes de Park y de Chan son films mucho más tradicionales (lo cual no significa que sean peores). Esto que parece un dato menor marca una pauta importantísima, porque a través de un film tan único Miike continuaba asentado las bases de una obra tan personal, que ni aun amparada en un mismo género podía tener algo que ver con los mediometrajes que lo acompañaron. *Box* es la prueba no solo del talento de Miike, sino también de su única e inimitable manera de hacer cine.

Izo

Takeshi Kitano, aparte de ser un fructífero realizador, también realizó una lograda carrera como intérprete. Kitano trabajó con directores de toda índole y en films totalmente dispares (no solo en su temática, sino también en su calidad), aumentando una popularidad que parecía no tener techo. Distintos realizadores se interesaron siempre en incluir en sus films a Kitano, por lo que

era cuestión de tiempo que Takeshi se pusiera a las órdenes de Takashi, combinando en una sola película a dos de los artistas más importantes del Japón actual. Lo curioso del asunto es que el grupo de inversionistas que financiaron el proyecto de *Izo* (2004), y sabiendo que Miike muchas veces se mostraba como un director poco atractivo para el público masivo (una situación que con los años se revertiría notablemente), el objetivo era incluir en la película caras conocidas que sirvieran como imán para sumar espectadores. De ahí se desprende que *Izo* cuente con Kitano como estrella invitada, que si bien participa poco del film, los momentos en los que aparece indudablemente tienen la fuerza que Takeshi sabe imprimir a sus escenas. *Izo* es una épica surrealista centrada en la figura de **Izo Okada** (un conocido samurái que murió en 1865), y la idea de su espíritu volviendo de entre los muertos para vengarse, ya no solo de sus asesinos sino incluso de lo que podría ser la maldad humana. A lo largo del film, el espíritu del guerrero cobra forma corpórea para desplazarse a través de distintas épocas y sitios, destrozando todo a su paso, en camino a eliminar una entidad superior. En ese viaje de surrealista, Miike critica con ferocidad distintos aspectos de la historia de la armada japonesa, y también de la humanidad, entendiéndola como una suerte de órgano vivo que parece destinada comerse a sí misma hasta el fin de los tiempos. El puntapié inicial del film es el asesinato de Izo crucificado. Esa escena, que es el cierre *Hitokiri* (1969), de **Hideo Gosha**, otro film centrado en la figura de Izo Okada, se convierte en el disparador inicial de esta versión de Miike. Según avance el film, y con

la constante presencia del músico **Kazuki Tomokawa**, Izo combatirá en todo tipo de períodos a todo tipo de enemigos. Izo (o mejor dicho, su espíritu) es un guerrero errante que a medida que asesina a sus rivales va perdiendo su forma humana para convertirse en un demonio sediento de sangre, que no es más que una máquina de matar imparable. Pero detrás de *Izo*, un film marcado por la violencia extrema, se esconde, irónicamente, un mensaje que aboga por la necesidad de terminar con esa misma violencia (como dice el dicho: *si quieres paz, prepárate para la guerra*). Miike utiliza en varios momentos del film imágenes de documentales, prácticamente todas centradas en la violencia y en las atrocidades de la guerra. Esas imágenes indican el verdadero subtexto de *Izo*, que señala cómo la realidad es una banda de Moebius violenta que se niega a desaparecer. Izo, entonces, es una figura

que encarna esa violencia inherente a la raza humana, totalmente innecesaria pero, a la vez, único rasgo distintivo de una humanidad decidida a aniquilarse a sí misma. *Izo* es sin lugar a dudas una de las películas más viscerales de Miike, y se presenta como un largometraje afilado, decidido a apuntar sus cañones contra el lado más salvaje que la humanidad tuvo a lo largo del último siglo y medio. Ese salvajismo, Miike lo ve a través de las guerras, las religiones y los fanatismos, y en esa crítica se encuentra el corazón de un film dueño de una mirada muy sólida. *Izo* es Miike en estado puro, más preocupado por los males de la humanidad que por presentar una película correcta que haga sentir contenido a su público. Y de ese salvajismo surge en todo su esplendor el verdadero monstruo cinematográfico que es Takashi Miike.

De The Great Yokai War a Imprint

El primer estreno cinematográfico de Miike en 2005 fue ***The Great Yokai War***, una película en la que el director vuelve a sumergirse en el cine infantil retomando el universo de los yokai, cuyas películas emblema seguían siendo

las de una trilogía fílmica estrenada entre 1968 y 1969. El protagonista en *The Great Yokai War* es Tadashi, un niño que vive en un pequeño pueblo. En un festival, el pequeño recibe el "cabezazo" de un monstruo tradicional, que mediante ese acto lo elige, simbólicamente, como una suerte de guardián. Al poco tiempo, el niño descubre a una serie de criaturas mágicas de las que se convertirá en gran protector. Esas criaturas son los yokai, unos seres pertenecientes al folclore japonés y que fueron retratados varias veces en la pintura, el cine y otras artes. Así es como, de golpe y porrazo, el pequeño Tadashi se ve envuelto en una guerra gigantesca que amenaza con dejar a la Tierra sumida en el terror gracias a los siniestros planes de una yokai llamada Agi, que trabaja con el malvado Yasunori Kato (un personaje de ficción muy popular en Japón, también protagonista de distintos films, novelas y series). Junto a un grupo de yokais, Tadashi

se convertirá en el arma más importante de la humanidad en la lucha contra sus adversarios. Como verán, *The Great Yokai War* es una fábula infantil que arma su estructura según el infalible esquema del camino del héroe, que de manera muy resumida trata de atravesar un periplo que culmina con el héroe y una sabiduría aprendida que resulta imprescindible en su lucha contra el mal. Hay peligro de muerte, hay un conocimiento adquirido y un rito de transición que conduce hacia una nueva etapa, todo eso compactado en un film que, ajustado al universo infantil, repite algunas cuestiones muy habituales en el cine del director. Toda la batalla en la que Tadashi se encuentra sirve como forma de maduración para el niño, y esta idea se vincula con la tan presente melancolía de los héroes de Miike. Los yakuzas y guerreros de sus otras películas, muchas veces también atraviesan ritos de transición que los llevan hacia una supuesta madurez, pero esa madurez luego se ve empañada por la tristeza de haber dejado atrás un período de mayor felicidad o, cuando menos, inocencia. En ese sentido, el momento más amargo es el epílogo de la película. Allí se ve a un Tadashi adolescente que es observado por el espíritu de Sunekosori, un tierno yokai que había sido mascota del niño y que en el transcurso de la película tiene un doloroso final. En una escena de gran tristeza, vemos cómo el espíritu del pequeño yokai hace fuerza por hacerse visible ante los ojos del muchacho, sin éxito alguno. Ese cierre indica que la madurez de Tadashi parece haberlo llevado a olvidar su rol como defensor de los yokai, convirtiendo la madurez en un lugar mucho más amargo y llevando la melancolía no hacia el personaje, sino hacia los espectadores, que se lamentan ante la amnesia del héroe. Por otra parte, el grupo protagónico en *The Great*

Yokai War está compuesto por los marginados que tanto gustan a Miike, pero aquí hay una diferencia fundamental con respecto a otras de sus películas. Si bien en muchos casos los típicos protagonistas de Miike son parias que, sin un núcleo de pertenencia, deciden armar una familia putativa integrada por otros solitarios, aquí Tadashi sí es adoptado por un núcleo ya compuesto, que es el de los yokai, quienes integran al niño a su familia y lo postulan como el defensor de todos ellos. Al igual que en el caso de *Zebraman*, *The Great Yokai War* es otro claro ejemplo de cómo Miike puede plegarse a un film que, en la cáscara, poco parece tener en común con su universo, pero que en el fondo tiene cuestiones muy vinculadas a su cine. Y aunque *The Great Yokai War* no es una de las mejores películas de Takashi, no deja de ser un film notable que le sirve para crecer en su figura como autor.

La primera película que Miike estrena en 2006 se convierte en uno de sus verdaderos films malditos. Se trata de **Bing Bang Love, Juvenile A**, centrada en el vínculo de amor establecido entre dos presos dentro de una cárcel. El protagonista de la historia es Jun, un tímido muchacho que atendía un bar gay y que termina preso tras cometer un homicidio. En la prisión entabla una relación con un violento y temperamental joven llamado Shiro, que inmediatamente se

convierte en el protector de Jun. Pero a pesar de esta historia de fraternidad, la trama comienza con la muerte de Shiro a manos de Jun y con la subsiguiente investigación por parte de dos detectives que intentarán descubrir el vínculo entre ambos personajes, cuál era su entorno y cuáles sus aspiraciones. A lo largo del film, Miike pone el foco de atención en descubrir quiénes son Shiro y Jun, y por qué estaban tan unidos. Como suele suceder en los films de este autor, el atractivo radica en la historia de estos dos personajes torturados por su pasado, siendo ambos víctimas de historias personales que los llevaron a la incómoda situación de tener que sobrevivir en un entorno altamente hostil. Como en muchos dúos masculinos de Miike, la historia de amor no necesita entrar en el plano sexual para demostrar la enorme necesidad que tienen el uno del otro, haciendo que el lazo emocional que une a los protagonistas esté mucho más allá de los placeres de la carne. Un aspecto que llama poderosamente la atención de *Bing Bang Love* es que está basado en un trabajo previo de

Hisao Maki e **Ikki Kawijara** (Ikki es una verdadera eminencia en Japón gracias a su trabajo en el mega popular manga *Ashita No Joe*). Maki, que en el pasado fue responsable de que Miike diera varios pasos en falso, aquí no se involucra en el guion (dejándole ese trabajo a **Masa Nakamura**, responsable del guion de grandes obras como *DOA 2* o *The Bird People in China*), y es notable cómo, y casi por primera vez, un trabajo original de Maki se convierte en una película que bordea la perfección. Aunque un sector de la cinefilia presentó mucha resistencia, y aunque acusaron a Miike de ser un director caprichoso al que le encantaba poner a prueba a sus espectadores, la realidad es que *Big Bang Love* es otra película/ensayo del director, de esas que tanto ama hacer y en la que juega con la puesta en escena para darle fuerza a una historia de amor que quizá, de otra manera, terminaría perdiendo vitalidad. Miike elige retratar una cárcel oscura, que por momentos no tiene paredes, pero que está alejada de estereotipo del film carcelario. A Takashi le importa lo que sucede dentro de la cabeza de sus protagonistas, y bajo esa consigna se permite a sí mismo ser un director rupturista, preocupado no por la destrucción gratuita del verosímil, sino en concretar una historia centrada en la angustia de dos típicos personajes *a la* Miike. Shiro y Jun son dos individuos expulsados de una sociedad perturbada, que necesitaron construir un puente emocional que les permitiera tolerar una realidad que los desbordaba (para ellos, la idea de estar en el espacio con alienígenas es más tolerable que estar en la Tierra con otros humanos). Miike juega con los cielos, juega con la animación (algo muy poco frecuente en su cine), juega con una cámara que por momentos hasta parece subjetiva, y juega con un relato detectivesco que le permite sumergirse en el corazón del relato. Miike construye una pequeña

épica cargada de ideas visuales en cada uno de los planos, y la plasticidad de los mundos digitales que recrea para Shiro y Jun son falsos paraísos que solo sirven para potenciar la sensación de encierro (físico y mental) que envuelve a estos protagonistas. *Big BangLove, Juvenile A* es otra de las tantas obras maestras de Miike, pero por su arriesgada puesta en escena fue rápidamente descartada por un grupo de espectadores que quiere ver al director, una y otra vez, envuelto en ultraviolentos mundos yakuza. Los equivocados, como lo demuestra Takashi en su carrera, son esos espectadores, que no logran comprender que el cine de Miike no trata sobre la violencia, sino sobre individuos incompletos que desesperadamente buscan encontrar la felicidad en otra persona.

El siguiente proyecto de Miike se trata de la última colaboración del director con el polémico Hisao Maki. Basado en su propio manga, Maki escribe el guion de *Waru*, largometraje que Takashi estrena en el año 2006. Como es norma en los films escritos por Maki, la calidad no es la mejor. El protagonista de *Waru* es Himuro Yoji, un eximio espadachín que como consecuencia de estar en la yakuza termina yendo a prisión. Allí, entabla una relación casi paternal con Sarashina (interpretado por el propio Maki) y cuando ambos se encuentran fuera de la cárcel y el hombre se convierte en el blanco de los yakuzas, Himuro decide utilizar toda su habilidad en defender a su amigo de un posible asesinato. Como verán, el guion no es en absoluto nada original, y como sucede en muchos films de este tipo, el eje de la acción está puesto en un guerrero decidido a defender al que considera su mentor (la otra variante es la de vengar la muerte de ese mentor). La trama en *Waru* no es más que una excusa para mostrar enormes peleas en las que el protagonista se enfrenta a pequeños ejércitos rivales, y a los que vence solo con el uso de su espada. Son todas y cada una de ellas, escenas de un enorme virtuosismo, pero a las que les sigue faltando una cabeza sólida, representada por una trama que verdaderamente atrape al espectador; ni siquiera el carisma todoterreno del enorme **Sho Aikawa** (en la piel de Himuro) alcanza para convertir a *Waru* en una película relevante en la carrera de Miike. Esa estructura tan usual de V-Cinema que tiene este film desprende un innegable tufillo a oxidado, o al menos eso parece si tenemos en cuenta que Miike, apenas tres años atrás, había realizado un film tan personal como *Gozu*.

Siendo *Waru* una película tan anclada en los vicios del V-Cinema, la posibilidad de una secuela era más que predecible. Y así fue, porque a los pocos meses del primer film se lanzó para el mercado doméstico una secuela titulada ***Waru: kanketsu-hen***, también escrita por Maki, y centrada en la lucha entre Youji y un rival de otro dojo (el enfrentamiento entre dojos es una obsesión para Maki, que ya había utilizado ese recurso en la saga de ***Bodyguard Kibba***). Esta segunda parte, que dura casi media hora más que su predecesora y es mucho menos interesante, se convierte en la última colaboración entre Miike y Maki, una relación que si bien tuvo (pocos) puntos fuertes, estuvo siempre marcada por un notorio abuso de las grandes escenas de acción por encima de la construcción de los personajes.

Aunque se trate de un proyecto televisivo, y por ende debería ir en el capítulo correspondiente a las series televisivas de las que Miike participó, la popularidad y polémica que generó *Imprint* la convierte en una de las piezas más interesantes dentro de su obra. *Imprint* es el título que llevó el episodio número trece de la serie **Masters of Horror**, un proyecto norteamericano compuesto por episodios autoconclusivos dirigidos por distintas eminencias del género, como **Stuart Gordon**, **Dario Argento**, **John Carpenter** o **Joe Dante**, entre muchos otros. El creador de la serie, el director **Mike Garris**, invitó a Miike para que se encargara de realizar el último capítulo de la primera temporada. Y el director japonés aceptó, pero lo que Garris jamás imaginó es que el resto de los episodios de la serie parecerían capítulos de **Los Teleñecos** al lado de la salvajada realizada por Miike, convirtiendo a ese episodio en el más popular de toda la serie.

Situada en el Japón feudal, la historia de *Imprint* cuenta la búsqueda del periodista norteamericano Christopher por encontrar a una prostituta de nombre Komomo, a la que alguna vez abandonó, prometiéndole regresar por ella y obsequiarle una mejor vida. En su búsqueda, el hombre llega a una isla poblada por demonios, prostitutas y almas perdidas. Allí es arrastrado a un prostíbulo en el que conoce a una mujer de cara deformada que le cuenta cómo murió Komomo tras una terrible sesión de tortura. Luego, le explica a Christopher su terrible infancia y origen, que se remonta a una pequeña casa muy humilde y a una madre que se ganaba el pan realizando abortos, arrojando los fetos a orillas del río. La locura y el clima de extrañanación aumentan considerablemente cuando del cráneo de esa mujer emerge una criatura de pesadilla, que resulta ser su hermana. Todo lo que sucede a lo largo de esa noche es tan abrumador para la golpeada mente de Christopher, que termina internado, preso de la locura.

El revuelo que *Imprint* causó en Estados Unidos probablemente haya tenido que ver con dos elementos: Primero, la escena de la violenta tortura que sufre Komomo, y segundo, las secuencias de aborto y el terrible

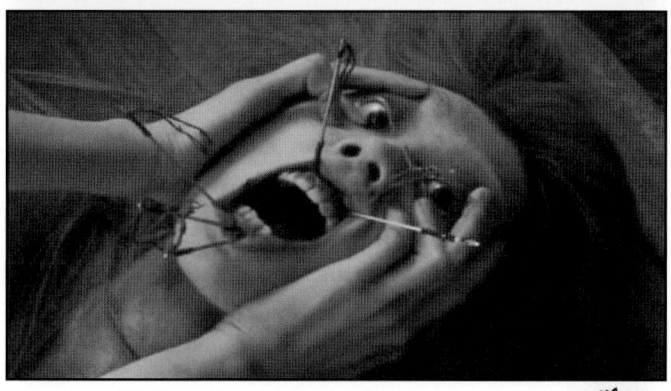

destino de los fetos. Por este contenido, el capítulo no se emitió junto a los otros episodios de la temporada, algo que obviamente sirvió para alimentar el mito del "famoso episodio dirigido por Miike". Afortunadamente, *Imprint* no tardó en ver la luz en DVD, con el metraje completo y sin censura alguna. Pero más allá de esas polémicas, lo importante ante todo es que con apenas una hora de duración, *Imprint* es una verdadera obra maestra del terror, siendo una suerte de revancha al género luego del paso en falso que fue *Llamada Perdida*. *Imprint*, como los buenos films de este género, se preocupa ante todo de construir climas de pesadilla, de sumergir al espectador en un mundo tenso en el que las amenazas más terribles pueden convertirse en un elemento cotidiano y en donde los lugares de confort no existen en absoluto. El pueblo que visita Christopher es una aldea de pesadilla, y encierra ese clima de terror perfecto que Miike no logró alcanzar en *Llamada Perdida*.

En este film, Takashi vuelve a retomar la idea de la madre como dadora de vida, pero también como la única figura capaz de violentar la llegada de alguien al mundo. Como en *Visitor Q* o *Gozu*, la figura femenina de Miike (que aparece poco, pero que cuando lo hace, lo hace con la fuerza de diez mil yakuzas) aparece en *Imprint* como una suerte de jueza capaz de decidir sobre la vida y la muerte. Y que la madre haya intentado (sin éxito) matar a su propia hija de pequeña es la sublevación de la sufrida niña de desafiar ese orden no natural impuesto por su propia madre. La idea de una mujer que trabaje realizando abortos es la cara oscura de la Ozaki/mujer de *Gozu*, quien en vez de matar era responsable de dar la vida. Por último, se encuentra el tema de la hermana atrofiada en el cráneo de la prostituta. Pocas imágenes pensó Miike, que sean tan

horríficas como esa, y la mujer atrofiada pero con vida, encerrada en el
cuerpo de su hermana, significa una
sublevación aún mayor, ya que incluso sin su cuerpo esa hermana logra
vivir. De alguna forma, la idea subya-
cente en *Imprint* tiene que ver con la
muerte y las vidas violentadas. Todas
las criaturas de *Imprint* llevan vidas
llenas de violencia, violencia que bien
puede reflejarse en sus rostros o en su
interior. Y esa galería de personajes

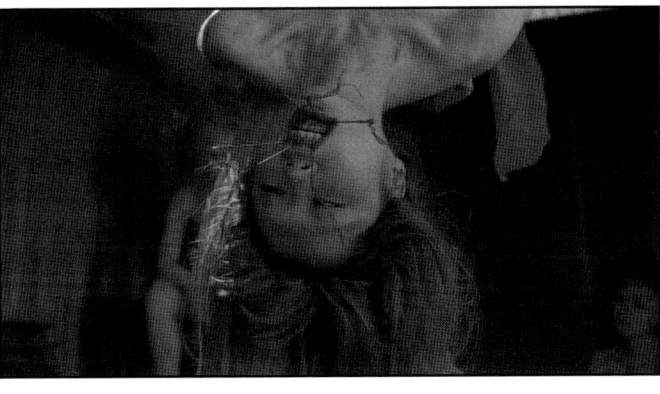

embebidos en una locura salvaje ter-
minan engullendo al propio protagonista, que también escondía en su pasado
una historia que pretendía ocultar. Basada en el relato tradicional de **Shimako
Iwai**, titulado ***Bokke Kyotte***, *Imprint* es sin lugar a dudas no solo la mejor película
de terror de Miike, sino también uno de los picos más altos dentro de su obra.

Sun Scarred

La última película que Miike estrena en este período es, con seguridad,
una de sus obras maestras. Se trata de ***Sun Scarred***, un amargo thriller centrado en un hombre que toma a la ligera una decisión que devendrá en trágicas
consecuencias. El protagonista es Katayama (interpretado por **Sho Aikawa**,
que en este rol se deja el pellejo), un oficinista común y corriente, felizmente
casado y con una hija pequeña. El día de su cumpleaños, Katayama se encuentra con un grupo de pandilleros muy jóvenes que están moliendo a golpes
a un hombre. Frente a ese escenario, el hombre decide intervenir, dándoles
a los atacantes una paliza y convirtiéndose en el inesperado ganador de la
contienda. Pero lo que parecía casi una anécdota menor, se convierte en una
pesadilla cuando el líder de esos gamberros secuestra y asesina a la pequeña
hija de Katayama. Su esposa, incapaz de superar el dolor, decide suicidarse,
y el protagonista se convierte súbitamente en un hombre solo, atravesado por
una tragedia difícil de superar. El asesino de la pequeña, al ser menor de edad,
recupera la libertad al poco de su arresto. Katayama, obsesionado con la posibilidad de que el adolescente reincida y lo mate a él o a su hermana, decide
tomar cartas en el asunto. Si bien así contada, la película podría ser un clásico
film de acción en la línea de *El justiciero de la ciudad* (Death Wish, 1974), Miike
elige esta historia para alejarse diametralmente de los continuos tiroteos en pos
de acercarse al drama de un hombre signado por las terribles consecuencias de
una decisión tomada casi por azar.

Ante todo, *Sun Scarred* tiene un innegable halo al popular cine de venganza surcoreano. Y lejos de *Oldboy* (2003), film que más allá de ser una gran

obra hace un notable uso de la violencia estilizada, esta película de Miike está mucho más cerca de la que es casi fundadora de ese subgénero: *Simpathy for Mr. Vengeance* (2002), también de **Park Chan Wook**. Esta conexión se establece porque *Sun Scarred* tiene un uso muy amargo de la violencia, en el que los golpes y tiros no son motivo de festejo, sino más bien de sufrimiento. A años luz de prácticamente el resto de toda su filmografía, Miike hace que cada golpe a la mandíbula, o cada disparo que da en el cuerpo de alguien, esté totalmente desprovisto de cualquier tipo de esteticismo. Miike, consciente de la amargura en la trama, comprende que la violencia en esta película es sinónimo de angustia, y por ese motivo filma las peleas como si fuera casi un documental. Otra similitud entre *Sun Scarred* y *Simpathy* es la de sus protagonistas: dos hombres que ven a su familia desintegrarse a raíz de la muerte de su hija y cómo, dadas las circunstancias, ambos terminan entregándose a un espiral de violencia. Pero aquí hay una vuelta de tuerca interesante, porque si bien tanto Katayama como Dong Park (el protagonista de *Simpathy*) deben abrazar su animal interior, Park es mucho más consciente de su desesperada sed de venganza, mientras que Katayama se muestra mucho más ambiguo, jugando con la verdadera posibilidad de no necesitar hacer justicia por mano propia (lo cual no significa, como bien muestra el final, que el personaje no esté a la altura de las circunstancias). En este sentido es que *Sun Scarred* se desmarca del cine de venganza surcoreano para adentrarse en el drama de su personaje, porque Miike comprende que la tragedia de su protagonista es el verdadero núcleo del relato. Esta mirada centrada en el protagonista es lógica, teniendo en cuenta la obsesión de Miike con los personajes que perdieron a su círculo familiar.

El que indudablemente sí es un aspecto poco transitado en el cine de Miike es el vinculado a una suerte de denuncia social (un tema que solo se había revisado en *Shangri-La*). Desde la mirada del autor, la sociedad parece estar corrompida y atestada de vacíos legales. En el film, los jóvenes son la principal amenaza, dado que por su naturaleza de "menores" reciben un laxo trato por parte de la justicia. Frente a esa realidad, irónicamente es la víctima (encarnada en Katayama) el que recibe el acoso de la policía. Los menores de *Sun Scarred*, obsesionados con la violencia y con matar, parecen demonios salidos de una novela de **Ryu Murakam**i, siendo ellos el aspecto más oscuro

de una sociedad que pareciera brillar en su exterior, pero que por dentro está absolutamente podrida. La incendiaria crítica de la película tiene que ver con la idea de un mundo marcado por la desesperación del aparentar que todo marcha perfectamente, cuando en realidad nada es así. Siguiendo esa lógica, tiene sentido que Miike comprendiera la intervención de Katayama como una alteración a esa falsa armonía, ya que al interrumpir un acto de violencia,

debe sufrir en carne propia las consecuencias impensadas que eso le traerá, descubriendo así lo putrefacto de su entorno.

Yendo al aspecto formal del film, *Sun Scarred* también significa un claro punto de maduración dentro de la obra de Miike. En la película, Takashi emplea un recurso que si bien no es demasiado original, no deja de servir para acompañar el proceso mental de su protagonista, porque cuando Katayama ve a su mujer suicidarse, la película vira hacia el blanco y negro. Durante varias escenas de metraje, el film pierde los colores, y de esa manera Miike refleja la angustia y soledad de su héroe, mostrando la necesaria desconexión del personaje con sus sentimientos, y dando una idea de que el protagonista se "apaga" como única manera de no sucumbir ante el dolor. Más tarde, en una breve pero excepcional secuencia de montaje, el film vuelve a los colores en el momento que Katayama recupera una razón por la que vivir, y que tiene que ver con la necesidad de detener para siempre la violencia ejercida por el asesino de su hija. *Sun Scarred* es otra de las muchísimas obras maestras de Miike que no tuvieron el reconocimiento merecido, y marca un nuevo punto y aparte en la filmografía del maestro. Es un film maduro que no necesita de una solemnidad impostada para construir una idea; es una película de gradua-

ción, que nos muestra a un director alcanzando un nuevo techo de calidad. Cuidado, porque que sea un drama sin concesiones no es señal de que por eso Miike haya mejorado como profesional (pensar eso sería descalificar su cine anterior), pero lo valioso aquí es que el director demuestra, una vez más, su profundo conocimiento de los géneros que toca y cómo puede desprenderse de sus recursos más usuales sin por eso renunciar a su universo autoral. *Sun Scarred* marca el cierre de un período y una nueva cima conquistada. Esta película es una suerte de podio al que el director aspiraba. Un drama violento que no involucra despiadados yakuzas, sino a un hombre común y corriente, arrastrado a una sucesión de tragedias que amenazan con quebrarlo emocionalmente. Con *Sun Scarred*, Miike logra una película perfecta, que lejos de apagarlo, lo alimenta para continuar con ese ritmo de trabajo desenfrenado que lo llevará a reencontrarse con sus siempre presentes yakuzas y sus impredecibles experimentos.

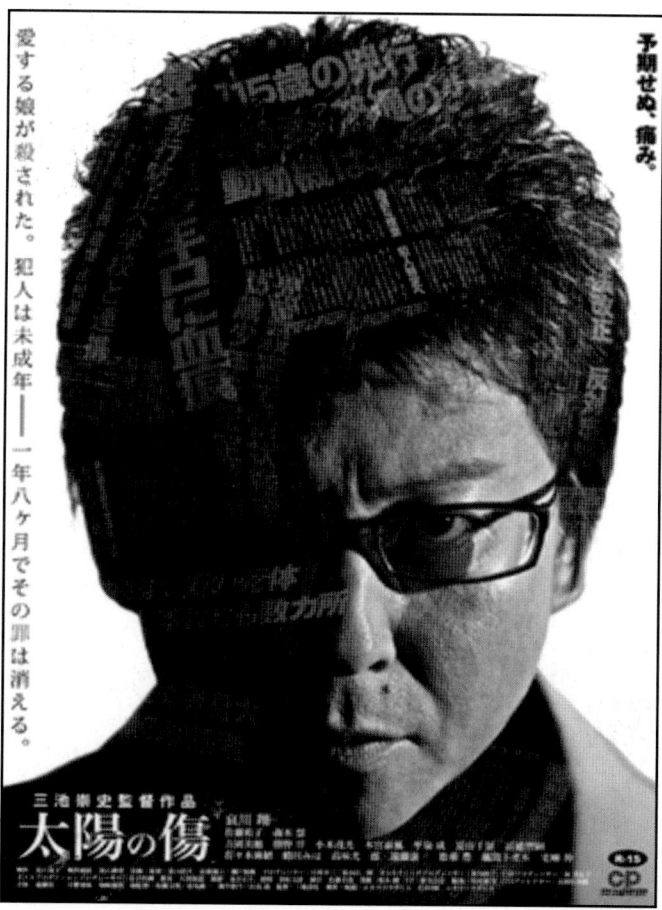

Capítulo 11

La sombra de Zatoichi

Luego de su trilogía sobre el arte y el camino del artista, saga que el propio **Kitano** consideró prácticamente autodestructiva, es imposible negar que en la cabeza del cineasta algo había cambiado. En esas películas, Kitano reflexionaba sobre el camino del artista y la constante puja entre el éxito comercial y la satisfacción personal, y Takeshi es un realizador que entiende a la perfección que ambos elementos no siempre van de la mano. Si bien la carrera de Kitano tuvo sus altos y sus bajos en términos de relación con la crítica y el público, es claro que este director es uno de los más importantes y prestigiosos dentro del cine japonés actual, una realidad de la que él es plenamente consciente. El gigantesco éxito comercial que le supuso *Zatoichi* (que hasta tuvo estreno comercial en países en los que Kitano era un director de nicho), terminó llevando al realizador a una crisis que derivó en la mencionada trilogía temática (repitiendo el ejercicio que derivó en *Getting Any?*, film que nació bajo la imperante necesidad de deconstruir su propia figura, acercándose al humor anárquico de sus orígenes y tomando distancia del director prestigioso en el que se había convertido). El final de *Aquiles y la Tortuga*, episodio que marca el amargo cierre de su trilogía temática, mostraba al frustrado pintor abrazando la necesidad de vivir una vida plena, haciendo a un lado sus aspiraciones artísticas. Pero la vida de Kitano es muy distinta a la de su personaje, porque el director, quizá interesado en recuperar el éxito comercial que le supuso *Zatoichi*, se sumerge en una nueva etapa cinematográfica que, para muchos, revela una cara menos interesante. El estreno de *Outrage* (2010) y

147

Outrage Beyond (2012) marcó para muchos la necesidad del director de obtener, por la vía rápida, un éxito de taquilla, incursionando una vez más en el cine de yakuzas. Teniendo en cuenta el conocimiento gigantesco que Kitano tiene sobre este género (al cual, irónicamente, se negaba a volver según **Glory to the Filmmaker!**), Takeshi construyó una épica yakuza muy sofisticada, que funciona como una pieza de relojería y que exhibe una atractiva galería de oscuros personajes que luchan constantemente por el camino hacia el poder absoluto. Pero que Kitano haya construido una saga circunscrita a un género en el que claramente se maneja como pez en el agua, no significa que su trabajo sea menos valioso o sus inquietudes artísticas menos genuinas. Lejos de afincarse en las estructuras reglas del género, Takeshi se sumerge en una historia yakuza compleja pero de enorme perfección, que lo muestra pisando un terreno seguro, pero arriesgando desde dentro de esa trinchera esquemas complejos que tengan al espectador al borde de su butaca. En ese punto, se hace evidente que a Kitano ya no le interesaba pelearse con sus espectadores, sino todo lo contrario. La tragedia de Takeshi es, que haga lo que haga, parece que siempre existirá un sector de la crítica dispuesto a atacarlo, porque si presenta un film como **Takeshis** a muchos les parecerá demasiado encriptado, pero si hace algo como *Outrage*, a otros les parecerá demasiado "sencillo" y poco digno para un artista de su complejidad. Lo cierto es que por suerte, a Takeshi esos comentarios no lo desalientan a la hora de hacer el cine que más le interesa, procurando no perder jamás el placer de hacer cine por el cine mismo.

Outrage y Outrage Beyond

Estrenada en 2010, y competidora por la Palma de Oro en el festival de Cannes de ese año, *Outrage* supone la vuelta de Kitano al género yakuza, luego de exactamente diez años (su última película dentro de ese género había sido la fallida **Brother**). Cobrándose venganza después de ese film, *Outrage* supone una verdadera obra maestra del género. Kitano escribe una saga mafiosa colmada de personajes traicioneros y ventajistas, que no dudan en clavarse puñales por la espalda ni en chantajear a quien sea necesario con tal de ascender en la violenta estructura piramidal que supone la yakuza. *Outrage* es un film coral, en el que muchos personajes se comparten el protagonismo. Takeshi eligió a todos actores con los que prácticamente jamás había trabajado, algo que habla de la necesidad del director por

desentenderse de su obra previa, la cual prácticamente no da señales de vida en ninguna de las *Outrage* (aunque la mirada que ambas tienen sobre la yakuza se emparenta con la mirada que el propio Kitano tiene sobre su cine, pero ya llegaremos a eso más adelante). La primera *Outrage* presenta la lucha por el poder entre dos subgrupos yakuzas de un clan dirigido por el veterano Sekiuchi. Esas facciones, controlada una por Murase y otra por Ikemoto, comienzan una serie de enfrentamientos que, bajo las sombras, es permitido y alimentado por el propio Sekiuchi. Ikemoto, que cuenta con el permiso de su superior, utiliza a sus lugartenientes para atacar sistemáticamente los negocios sucios de Murase. Uno de sus lugartenientes de mayor confianza es Tetsuo (interpretado por el propio Kitano), un yakuza de la vieja escuela que se maneja bajo un código absoluto de obediencia y lealtad. Tetsuo, que a su vez cuenta con sus propios hombres, obedece fielmente a Ikemoto en todas las tareas que le manda, sin importar lo que hay en juego o el nivel de exposición. Pero por arriba de todos ellos, el propio Sekiuchi teje su propia red de intereses, planeando un futuro en el que solo queden con vida los yakuzas más dóciles. En su voracidad de controlarlo todo, el propio Ikemoto muestra una gran severidad con Kato, su hombre de mayor confianza. De esa manera, y con un mapa del poder de gran complejidad, todos los yakuzas

se convierten en peones involuntarios del propio Sekiuchi, quien comienza a sembrar discordia entre todos sus subalternos. Cuando Ikemoto traicione a Otomo intentando quitarle su terreno, el leal yakuza le dará la espalda a sus principios e intentará recurrir al propio Sekiuchi, solo para descubrir que la yakuza cambió por completo y que las traiciones están a la orden del día. Otomo, como el propio Kitano, parece un dinosaurio en mundos de autos voladores, o un viejo samurái que se niegan a renunciar a sus espadas desconociendo la llegada de una nueva época, más corrupta y de menos nobleza.

Es imposible no entender que el propio Kitano eligió ser Otomo porque ese yakuza es el que representa los valores más románticos de una vieja escuela. Y hay una escena que deja esto claro: cuando Otomo decide ir a ver al jefe de la yakuza, como muestra de disculpa por un error cometido, se corta el dedo meñique. En el despacho del jefe lo recibe Kato, que envuelve el dedo con desprecio y le dice a Otomo: *Tu antigua moda*

de cortarse el dedo ya no sirve. Ahí es cuando se advierte que el verdadero drama del film, lejos del control por el poder, reside en el dolor de Otomo cuando comprende que ya no forma parte del nuevo orden, y que su mirada está irremediablemente oxidada. Cuando más adelante, Otomo se entregue a la policía, el corrupto agente de la ley le dice que los asesinatos ya pasaron de moda, y que ahora la mejor venganza posible es vivir por varios años. A Otomo ese consejo le parece una sincera aberración, prefiriendo pudrirse en la cárcel a huir de sus antiguos camaradas. Si bien *Outrage* es, como se mencionó antes, una película mucho menos encriptada que las anteriores del director, no por eso deja de tener la característica mirada de Kitano hacia una supuesta evolución de las cosas. *En Glory to the Filmmaker!*, Kitano se reía, a golpe de gag, de **Matrix** y de esa modernidad plástica. Y en *Outrage*, el director de nuevo posa su mirada en los cambios absurdos y en qué sucede cuando un hombre se reconoce como huérfano de su época, sin posibilidad de cambiar su manera de comprender el mundo que lo rodea. Otomo, que prefiere ir a la cárcel y aferrarse a su manera de comprender el mundo, tiene algo muy similar a Kitano, que elige disfrazarse de cineasta de género con tal de no dejar morir sus ideas, a las que cuidadosamente contrabandea dentro de una película que simplemente presentó como "una más de yakuzas".

En 2012, Kitano presenta la secuela de *Outrage*, titulada **Outrage Beyond**. Aquí la historia comienza cinco años más tarde de los acontecimientos narrados en la primera parte. Kato se erigió como jefe yakuza, ocultando bajo la mesa el hecho de que él fue responsable de la muerte de Sekiuchi. La mano derecha de Kato es Ishihara, antiguo súbdito de Otomo que traicionó a su jefe y ayudó a Kato en su escalada hacia el poder. Ambos dominan ahora la yakuza, mientras procuran blanquear sus ingresos participando de la política local. Mientras tanto, el corrupto detective Kataoka sigue obteniendo tajada de los negocios yakuzas. El cuadro se complica cuando el mismo Kataoka decide agilizar la salida de prisión de Tetsuo para llevar caos al clan de Kato. A Tetsuo, todos los consideraban muerto después de un atentado en prisión. El viejo yakuza sale de la cárcel, y si bien dice que ahora prefiere darle la espalda a su antigua vida, el tiempo lo devolverá a esa senda, comenzando un verdadero baño de sangre y entablando inesperadas alianzas, todo con el objetivo de vengar su pasado y llegar a su verdadera meta: matar a Kato.

Mucho más oscura y violenta que su antecesora, *Outrage Beyond* supone el regreso de Kitano al cine de yakuza, que como ya se mencionó es un terreno que Takeshi pisa con mucha seguridad, conociendo al dedillo el *timing* que requieren las historias de este tipo. *Outrage Beyond* sufrió del mismo prejuicio que *Outrage*, y muchos especialistas se apresuraron en considerar esta secuela una mala repetición del esquema original, exagerando la violencia y dejando a un lado las tramas conspirativas que tanto caracterizaron al primer episodio, pero nada más alejado de la verdad. *Outrage Beyond*, si bien es otra película de yakuzas, toma como punto de partida un casillero muy distinto, porque no cuenta la historia de un yakuza de la vieja escuela que se niega a traicionar su espíritu, sino que toma al mismo personaje para contar una historia acerca de una visceral venganza. Es equivocado pensar que la película simplemente recicla ideas porque el eje aquí es totalmente nuevo. En este film lo importante es Otomo, que intenta derrocar el *statu quo* sin formar parte de él (cuando en la primera, era Tetsuo intentado encajar en un *statu quo* del cual era parte). En *Outrage Beyond*, el atractivo surge de un personaje violento que intenta aplacar su temperamento sin éxito, y cómo es el proceso en el cual un hombre desata su furia interna.

Ambas *Outrage* suponen el regreso de Kitano al cine más comercial (dicho esto de manera no peyorativa), y esto tiene que ver con la búsqueda de encontrarse nuevamente con el público masivo. En esta instancia de su carrera es evidente que Takeshi alcanzó un grado de madurez (o de resignación tipo *Aquiles y la Tortuga*, eso solo él lo sabe) en el cual ya parece no estar más interesado en hacer temblar a su público con films difíciles de digerir. Consciente de su posición, y siendo un director de gran renombre mundial (y un referente ineludible del cine japonés de los últimos 25 años), Kitano parece entregado al placer de filmar más para divertirse que para cuestionarse. La llegada del binomio *Outrage* (que según rumores, siempre está a un paso de convertirse en trilogía) supone el amor de Kitano por el cine de género, y cómo puede encontrarle nuevas vueltas de tuerca que le impriman una capa de originalidad a un género que desde hace años está algo desgastado. Lejos de los experimentos formales, Kitano intenta ser respetuoso pero sin perder su identidad ni su impronta. Y está claro que lo logra. El cierre de *Outrage Beyond*, con Otomo descargando su revólver de manera violenta e inesperada, supone el cierre apasionado de un director que si bien atravesó momentos de evidente crisis (que siempre plasmó en pantalla), parece ahora más decidido que nunca a hacer el cine que más disfruta, y en llevar su visión del mundo a la mayor cantidad de público posible. Y por el éxito comercial que supuso *Outrage Beyond*, al parecer su plan está saliendo a la perfección.

Capítulo 12

Miike y sus proyectos en televisión, teatro y clips de música

Llegados a esta instancia, y si bien este libro se focaliza en los largometrajes de Miike, no se pueden omitir otros trabajos de Takashi, como miniseries, episodios de ficciones televisivas, vídeos musicales y hasta obras de teatro. La primera producción televisiva de Miike (luego del film **Last Run**, que ya se comentó en el capítulo 3 de este libro) es la miniserie de tres episodios titulada *Tennen Shojo Mann*. Estrenada a comienzos de 1999, esta serie adapta el manga homónimo de **Tetsuya Koshiba**. El eje de la historia está anclado en los enfrentamientos entre distintos grupos integrados por mujeres, cuyo objetivo es el dominio callejero de la ciudad. Cada uno de los episodios tiene la estructura de un largometraje, e incluso su duración es muy cercana a las primeras producciones de Miike. En el centro de esta suerte de *Crows Zero* femenino, se encuentra Mann, una muchacha que aprendió artes marciales tras una infancia muy dura. Ella representa el tipo de personaje que tanto interesa a Miike: una heroína fracturada y totalmente desterrada de cualquier tipo de núcleo de pertenencia; de hecho, todas las jóvenes luchadoras presentadas aquí por Miike representan esa idea de familia alternativa compuesta por personajes que no encontraron jamás un círculo de pertenencia, y que en los enfrentamientos hallan su razón de ser. A pesar de esto, *Tennen Shojo Mann* no logra ser una obra interesante, quedando muy rezagada con respecto al resto de la

filmografía de Miike. La historia tuvo una continuación, también producida en 1999, llamada *Tennen Shojo Mann Next*, que se trató de un regreso al mismo universo pero con un plantel de protagonistas totalmente renovado. La historia aquí presenta en escena a un grupo de vampiros contra el que las protagonistas deben pelear. *Tennen Shojo Mann Next* se compone solamente de dos episodios, y claramente es un proyecto mucho menos logrado que su antecesor.

En 2000, Miike realiza un mini documental, un corto de apenas 17 minutos sobre la filmación de *Gemini*, de **Shinya Tsukamoto**. Se trata de una obra muy breve, que evidentemente Miike hizo por el placer absolutamente personal de retratar el trabajo de uno de sus más admirados directores. En el mismo año, Takashi realiza también el único aporte televisivo que sería realmente trascendental para su carrera, *MPD Psycho*, una miniserie de seis episodios. Aquí el protagonista es el detective Kazuhiko Amamiya, un agente que fue expulsado de la fuerza, pero al que vuelven a convocar para que resuelva una serie de misteriosos y crueles asesinatos. Más allá del atractivo que siempre supone un buen policial, aquí la historia tiene un interesante agregado y es que Amamiya sufre de personalidades múltiples, lo cual obviamente distorsiona constantemente su percepción de la realidad. El clima perturbador de la serie, sumado a una galería de personajes tan oscuros como fascinantes, hace de *MPD Psycho* otra de las tantas ingeniosas relecturas que Miike hace de géneros muy establecidos, a los que les imprime una nueva capa de originalidad. A diferencia de lo que sucede con las dos series de *Tennen Shojo Mann*, *MPD Psycho* jamás se torna aburrida ni estirada, de hecho, el interés del director por esta ficción fue tan notorio que decidió participar activamente de los guiones de la serie (a partir del manga homónimo, realizado por **Eiji Ohtuka**). En 2002, el realizador hizo otra película para televisión: *Part-Time Detective*, acerca de una ama de casa llamada Noriko que, a causa de un mal momento económico que atraviesa su marido, se ve en la necesidad de buscar un empleo de medio jornada, lo cual la lleva casi de casualidad y por una amistad a practicar el oficio de detective. El telefilm tuvo un éxito relativo y en 2004 Miike rodó una secuela, en la que se dio el placer de homenajear a su estimado colega **Quentin Tarantino**. Lamentablemente, ninguna de estas dos películas supone una pieza fundamental dentro de la obra de Miike.

En 2002, Takashi dirige su primer vídeo musical: *Pandoora*, protagonizado por el cantante **Koji Kikkawa**. En un vídeo de poco más de 5 minutos,

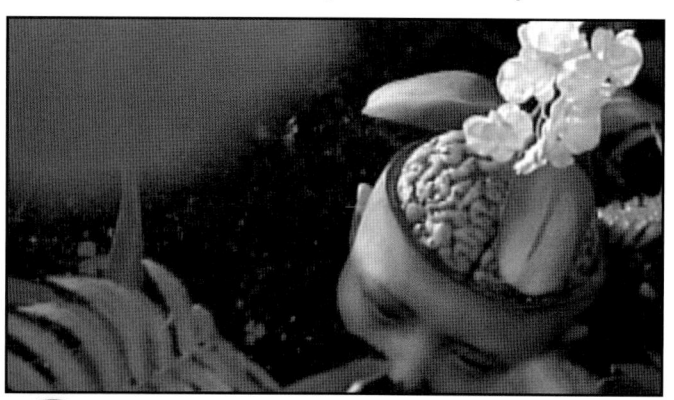

Miike construye una batalla breve entre un samurái (encarnado por el músico) que se enfrenta a un pequeño ejército de espadachines en la lucha por controlar una esfera de poder. Es una pelea abreviada pero intensa (que probablemente contó con una inversión mayor que la del film *Kumamoto Monogatari*), que sirve para ver, una vez más, la capacidad inconmensurable de Miike por yuxtaponer universos totalmente opuestos, mezclando samuráis con platillos voladores e insectos gigantes. Una breve pero inconfundible muestra de la vocación iconoclasta de este gran director.

En 2005, el director se sumerge en otro rubro artístico que le era totalmente ajeno: el teatro, y estrena una obra titulada *Demond Pond;* entusiasmado por la experiencia, Miike vuelve al teatro en 2008 con una obra protagonizada por el mítico *Zatoichi* (ambas producciones fueron internacionalmente lanzadas a través del mercado del DVD). Ante todo, vale mencionar que son dos productos que no reportan demasiado interés, pero no por la calidad de la obra en sí, sino por lo engorroso que supone el ver teatro filmado. Más allá de que ambas adaptaciones al DVD cuentan con un montaje realizado para la versión doméstica, el verdadero atractivo del teatro se pierde totalmente al ver la obra en televisión, haciendo que la experiencia teatral se evapore por completo. El caso de *Zatoichi* resulta más frustrante al encontrarse como protagonista el gran **Sho Aikawa** (secundado por **Kenichi**

Endo, otro actor fetiche de Miike, que también participó en *Demond Pond*).

El segundo "detrás de cámara" que dirigió Miike estuvo vinculado a un proyecto propio. Con el estreno de *Zebraman*, y teniendo en cuenta la expectativa que despertaba, Miike dirigió un documental de casi una hora sobre la realización de ese film, que simplemente se llamó *Making of Zebraman*. El director también participó en la dirección de determinados episodios para un puñado de series televisivas, pero ninguna de ellas supone de gran interés. En 2005 realizó dos episodios para la serie *Ultraman Max*, y en 2007 trabajó en *K-Tai Investigator 7*, acerca de un joven detective que para resolver sus casos cuenta con la ayuda de un celular androide. En 2011, Miike participó de *Q.P.*, ficción que adapta otra violenta historia de **Hiroshi Takahashi** (autor del manga *Crows*). La serie dura solo 12 episodios y Takashi se encargó de realizar el primero. El último proyecto mutante del cual Miike formó parte se estrenó en cines en 2013, con el título de *Blue Planet Brothers*. En esta producción de 60 minutos, el eje se encuentra en tres personajes totalmente dispares que se conocen fuera de sus épocas (ellos son un extraterrestre, un samurái y una suerte

de elfo). El mediometraje está fragmentado en diez episodios, compartiendo un tono de comedia casi surrealista. Un interesante proyecto, que lamentablemente no tuvo la trascendencia que merecía.

De Yakuza: like a dragon a Crows Zero

Esta última etapa en el cine de Takashi Miike, como suele ser regla general en la obra del director, se caracteriza ante todo por su eclecticismo, por una necesidad de saltar de un género a otro, de cambiar el tono de las historias y zambullirse en relatos tan opuestos como puede ser un thriller psicológico o un film totalmente apuntado al público infantil. Esa necesidad de Miike por abarcarlo todo, ya se ha visto, pocas veces resiente la calidad de este director, demostrando que el famoso dicho que dice "el que mucho abarca, poco aprieta" no siempre es una verdad absoluta. Pero lo más importante de esta, al menos por ahora, última etapa en la obra del director, es que su presencia como autor sigue golpeando con fuerza. Convertido en esta instancia en un verdadero Rey Midas del cine japonés, y que como tal es capaz de elegir los proyectos que más le interesan y exigir presupuestos más importantes, Miike logra apoyar toda la parafernalia audiovisual en historias con sustancia. Las escasas inversiones de sus comienzos en el V-Cinema fueron la razón por la que Miike aprendió a no distraerse tanto con los efectos especiales, dándole siempre prioridad a la historia que está contando. Desde sus comienzos profesionales, Takashi aprendió a contar mucho con muy poco (no olvidemos que llegó a realizar películas que transcurrían en 2 o 3 escenarios), y por ese motivo es uno de los directores mejor preparados para no emborracharse con juegos digitales que terminen por dejar en un segundo plano a los propios protagonistas de sus historias. Pero lo más importante de todo es que Miike no dejó de filmar, no dejó de producir ni se durmió en los laureles, y que, sobre todas las cosas, jamás le perdió el miedo al ridículo, porque en esta etapa hay un puñado de films que supusieron verdaderos desafíos de los que Miike salió totalmente airoso.

La gran novedad con respecto a este período es que el director realizó películas basadas en el mundo de las consolas y los videojuegos, y ese es el caso de su primer largometraje de 2007, titulado ***Yakuza: Like a Dragon***. Inspirado parcialmente en el videojuego *Yakuza* de **Playstation 2**, este film relata una historia que transcurre en solo una noche. El protagonista es **Kazuki Kitamura** (otro actor fetiche de Miike), que interpreta a Kyriu, un antiguo yakuza experto en el combate cuerpo a cuerpo. Kyriu decide ayudar

a una niña en la búsqueda de su madre, que resulta ser un viejo amor del protagonista. A lo largo de esa extensa noche, Kyriu deberá también enfrentarse
a la pandilla de Goro, un yakuza rival. El final de la búsqueda de la madre de
la niña enfrentará a Kyriu contra Akira, un viejo amigo de su infancia ahora
convertido en su peor enemigo. Como verán, el film está plagado de elementos
propios del cine de Miike: la búsqueda de una familia biológica y adoptiva (la
niña busca a su madre, mientras que Kyriu busca una familia adoptiva), y sobre
todas las cosas, esa idea de una infancia idílica que se traduce a un presente de
enfrentamiento, ya que el viejo amigo del protagonista es ahora su peor enemigo. Es una estructura que remite mucho a una de las grandes películas de Miike
en su período en el V-Cinema, **The Way to Fight**, que casualmente también es
protagonizada por Kitamura. Ese film, al igual que este, también habla de una
amistad del pasado que en la adultez se convierte en rivalidad. Por otra parte, en
Like a Dragon hay otras historias satélites que sirven para enriquecer el universo
de la película. Hay una toma de rehenes en un banco a manos de un torpe dúo de
ladrones, enfrentados a un grupo de policías que intenta mediar en el conflicto
(uno de los agentes de la ley es **Sho Aikawa**), y por otra parte hay una tercera
subtrama centrada en una pareja que decide salir a robar pequeñas tiendas con
el objetivo de hacerse con dinero fácil. Pero volviendo a Kyrui, vale destacar
la estética de videojuego que Miike intenta darle al film. Desde conceptos tan
propios de ese mundo como el de una lata de gaseosa que proporciona vitalidad
a quien la tome, hasta las características llamas de fuego que parecen emerger
de la espalda de los hombres poderosos, Miike utiliza ideas visuales muy vinculadas a las aventuras consoleras, y logra lo imposible: no destruir el verosímil.
En un mundo de combates tan surrealistas como lo son los de *Like a Dragon*, el
hecho de que de un puño brote un aura celeste es algo totalmente normal. Esto
habla de la precisión de Takashi a la hora de construir sus universos, y que no
se filma de la misma manera todas las peleas. El mundo de *Like a Dragon* parece
estar a un paso de la animación, y por ese motivo funciona tan bien, porque
Miike sabe que no está realizando un film dramático con toques de violencia,
sino un film de violencia con toques de drama, y aunque esa pueda parecer una
diferencia minúscula, no lo es en absoluto. Esta idea de darle al film una serie de

códigos narrativos y estéticos propios
del manga y los videojuegos será un
nuevo elemento que Miike repetirá
en futuras películas, mejorando más
y más ese complejo recurso.

El siguiente film que Miike estrena en 2007 es otro de sus largometrajes más populares: *Sukiyaki
Western Django*. Mucho se habló de
esta cinta incluso antes de su estreno: que iba a ser el primer western
realizado en Japón, que en él iba a
participar **Quentin Tarantino**, que
prometía decenas de enfrentamientos entre cowboys japoneses, etc.,

todas razones que convirtieron a este *Django* en el fim de Miike que más expectativa causó mucho antes de su estreno. Y lo cierto es que Miike cumplió, y lo hizo con creces. Takashi construyó un western preciso, que desde el inicio se convierte simultáneamente en deudor y en renovador, de cierta tradición occidental con respecto a este tipo de películas. Lejos de querer salir a imitar a **Ford** o a **Hawks**, Miike salió a la pista con un ojo puesto en la obra de los grandes italianos, como **Sergio Leone** o **Sergio Corbucci** (responsable del primer film en el que debutó un personaje llamado *Django*). De hecho, el juego que utiliza Miike poniéndole "Sukiyaki" tiene que ver con un equivalente al "spaghetti" de los westerns europeos. Lo más interesante de esta versión de *Django*, o de esta extensión de ese universo, es que Miike constantemente deja en evidencia la notable influencia que el western tuvo en su educación fílmica, convirtiendo esta película en la combinación perfecta entre la carta de amor en forma de largometraje y la revitalización de un género que, lamentablemente, dejó de ser popular hace varias décadas. La historia es, en sí misma, un homenaje a la clásica estructura del western (que, a su vez, es deudora del cine japonés, por lo que todo termina volviendo a sus orígenes). La acción transcurre en un remoto pueblo llamado Yuta, en el que dos bandos rivales

se disputan la dominación del lugar. Uno de los bandos es el rojo y el otro es el blanco (la película transcurre varios años después de la guerra **Genpei**, un conflicto real que sucedió en Japón y que enfrentó a dos clanes: los **Genji** y los **Heike**. Miike retoma esta rivalidad y la traslada a los bandos de su propia película). A Yuta llega un misterioso pistolero sin nombre que se interpone entre ambos clanes y que pronto terminará enfrentándose a ellos. El pistolero recibe la ayuda de Ruriko, una mujer que se dedica a cuidar a su nieto sordomudo, cuyo padre murió salvajemente asesinado por los miembros del clan rojo. Finalmente, el desenlace del film encontrará al pistolero enfrentando a todos sus rivales, junto a la inesperada ayuda de Ruriko, que buscará vengar el asesinato del padre de su nieto. Como verán, el punto de partida es el mismo *de Por un puñado de d*ólares (Per un pugno di dollari, 1964), que a su vez es un remake de *Yojimbo* (1961). La idea del forastero que llega a un pueblo extraño es un punto de partida clásico de este

tipo de relatos, y ahí se encuentra el primer rastro sobre qué tipo de historia quería Miike para su western (aunque nobleza obliga, ese punto de partida también es muy común en el cine de samuráis). Pero ante todo se encuentra Quentin Tarantino, actuando la primera escena de la película. Tarantino, director muy apreciado por Miike, es uno de los realizadores más importantes de los últimos veinte años, y quien años más tarde revitalizaría algunos géneros olvidados (casualmente sería el propio Tarantino el próximo en recoger el guante de *Django*, en una nueva reinterpretación del personaje). Tarantino es la influencia más inmediata que puede encontrarse en el *Django* de Miike, un film de acción que desborda vitalidad en cada una de sus imágenes. Porque lo más importante en este película es que Takashi eligió narrar una historia de corte netamente clásico, pero enfrascada en una puesta en escena rabiosa, que no duda en mezclar animación con escenas de acción grandilocuentes en las que vaqueros orientales vuelvan por los aires a causa de gigantescas explosiones. La idea de un Miike haciendo western parecía simplemente una cuestión de tiempo (y presupuesto). Un aspecto que es importante destacar, y que deja en evidencia el irremediable espíritu iconoclasta del autor, es el hecho de convertir a una mujer uno de los personajes fuertes de este western. Los films del Oeste, por regla general, son mundos principalmente masculinos, en el que las mujeres suelen jugar roles menores, o en el caso de jugar papeles decisivos, muchas veces lo hacen de manera pasiva. Claro que aunque son pocos, hay varios contraejemplos de westerns que hacen de la mujer la principal heroína, como es el caso de **Johnny Guitar** (1954), de Nicholas Ray, o de **Encubridora** (Rancho Notorious, 1952), de Fritz Lang. Miike, siendo un director que, como ya se ha

mencionado varias veces, es dueño de un universo de pocos personajes femeninos fuertes, decide también aportar su grano de arena y poner patas arriba su propio western, haciendo del personaje de Roriko quizá la pistolera más salvaje de la película. Y esto, lejos de ser un capricho, sirve para comprender la verdadera intención de revertir los lugares comunes de un género tan hermético como el western, que pareciera invulnerable a cualquier tipo de relectura, algo que Miike demostró (al igual que su amigo Tarantino varios años más tarde) que no era cierto en absoluto.

Cuando Takashi, como se mencionó antes, tuvo el prestigio suficiente como para conseguir montar las películas que más le interesaban, la idea de un film del Oeste de gran presupuesto parecía una obviedad, y esto tiene que ver con cómo son los héroes de western. En las películas del Oeste, los vaqueros son personajes solitarios, antihéroes que no pueden evitar corregir armonías injustas. En este sentido, los vaqueros son primos de los samuráis, otros personajes que viven bajo un estricto código ético y cuya vida tiende muchas veces a ser solitaria. Y muchos de los antihéroes yakuza que pueblan la filmografía de Miike, en ese sentido, son descendientes naturales de los samuráis y los vaqueros, porque son personajes marcados por una carga moral y, sobre todas las cosas, individuos solitarios incapaces de encontrar un grupo de pertenencia, porque su propia naturaleza es la que les dicta un constante peregrinar. El personaje protagonista en *Django*, aunque aquí esté en otro contexto, es un estereotipo recurrente en la obra de Miike. De esta manera, el autor logra una nueva obra maestra, en la que sabe volcar sus propios intereses y toda la educación cinéfila que ha recibido a lo largo de su vida. Aunque muchos la tildaran de excesiva, aunque muchos consideren que el western oriental es una contradicción por propia definición, lo cierto es que Miike logró apropiarse, al menos durante dos horas, de un folclore que a priori parecía ajeno, pero que bajo su firme mano logró encontrar varios puntos en común con su forma de comprender el cine.

Después de *Django*, Miike estrena **Detective Story**, un film que combina misterio, horror y hasta comedia y que tiene como protagonista, como el título bien señala, a un detective. Raita es un investigador que está tras la pista de una serie de misteriosos asesinatos cuyo único vínculo en común es que el asesino roba determinados órganos de sus víctimas, mientras que en simultáneo el espectador conoce a un hombre que parece hacer experimentos con restos de cuerpos humanos. Junto a su equipo de asistentes, y con la ayuda de un nuevo vecino, especialista en computadoras y que también se llama Raita, el detective avanzará en su investigación hasta descubrir quién es el peligroso asesino. *Detective Story* es una película que no logra funcionar por completo, y que por momentos hasta parece una fotocopia dañada de algunas ideas que hubo en **Audition**. Aunque a priori la trama no tiene absolutamente nada que ver con la de aquella gran película, el esquema en *Detective Story* tiene una resolución muy similar, ya que explica la locura del asesino a través de destellos de su pasado. No es un recurso muy original y obviamente Miike no es el único en utilizarlo, pero en *Detective*

Story se siente un innegable eco de aquella película. Quizá el motivo por el cual este film no termina de convencer tiene que ver con que no hay un tono determinado que se convierta en el rector del relato, y los cambios de registro, que en otros films eran más paulatinos y fluían con mayor naturalidad, aquí se sienten forzados y caprichosos. Lo que comienza como una película de corte aventurero, luego salta a una comedia absurda, para finalizar en un thriller al borde del *gore* más impactante, sumado a una pelea final que se antoja casi surrealista, y concluyendo en una escena de fuerte dramatismo (más un cierre que resulta en un paso de comedia). En el pasado, y sin ir más lejos en *Dead or Alive 1*, Miike practicó esta idea de sacudir al espectador rompiendo por completo lo verosímil dentro de su propio film, y por regla general, siempre dio resultado. Pero en *Detective Story*, esos mismos cambios son tan tibios que terminan por desarmar el espíritu de la película, haciéndole perder fuerza. A pesar de esto, *Detective Story* no es ni por asomo lo peor de Miike, y si bien el constante cambio de registro es para algunos el principal problema de la película, para otros es su principal virtud. Todo depende de qué esté buscando el espectador a la hora de sentarse a verla. Eso sí, hay una escena de pocos minutos que justifica totalmente la existencia de esta película, y es aquella en la que el detective va a dialogar con un antiguo asesino para que le sugiera ideas que le permitan agilizar la búsqueda del delincuente que está persiguiendo. El antiguo asesino, un muchacho de 15 años (eco directo de los jóvenes delincuentes de **Sun Scarred**), está postrado en una silla ortopédica, con todo su cuerpo recubierto y con una máscara de cuero. Es una escena perturbadora al extremo, que deja en evidencia la pasmosa facilidad de Miike a la hora de construir climas de pesadilla en apenas cinco minutos, y con solamente tres actores en el plano. Esa secuencia justifica por sí sola la visión de *Detective Story*, y es la prueba irrefutable de que incluso en sus films menos logrados, la excelencia de Miike siempre aparece en el momento menos esperado, aunque sea unos pocos minutos.

La última película que Miike estrena en 2007 es una de sus más perfectas, se trata de **Crows Zero**, un film que se sumerge en el universo de **Crows**, el popular manga de **Hiroshi Takahashi**. La historia comienza con Genji, un joven que ingresa en la

escuela de Zusuran, un instituto que es un caldo de cultivo para la violencia y donde las peleas más salvajes son moneda corriente. El pandillero más importante del lugar es Serizawa, un muchacho que es líder del ejército escolar más importante de allí. Genji, hijo de un poderoso yakuza, desea demostrarle a su padre su verdadera fuerza, y por ese motivo decide escalar en la construcción de su propio ejército y arrebatarle a Serizawa el control del instituto, a través de varias peleas y con la tutela de un yakuza de baja estofa llamado Ken, que resulta trabajar para el clan rival del padre de Genji. El enfrentamiento está servido en bandeja, y todo lo que Genji haga lo conducirá a enfrentarse a Serizawa en una batalla gigantesca en la que ambos pelearán para descubrir quién es el verdadero jefe de la escuela Zusuran. Este planteamiento tan sencillo, tan deudor de cualquier manga de peleas y hasta notablemente influenciado por la estructura narrativa de cualquier videojuego de peleas, le sirve a Miike para concentrarse en el siempre apasionante tema de las micro sociedades y sus reglas autoimpuestas, reglas que los miembros de esa sociedad respetan a rajatabla, pero que resultan indescifrables (y hasta absurdas) para cualquier extraño que no forme parte de ese mundo. Al igual que en *The Bird People in China*, la escuela Serizawa es un núcleo social autosuficiente, que genera en los extranjeros una pasión o una repulsión casi instantánea. "O te adaptas, o te vas", parecen decir las paredes del grafiteado instituto. Y ese mundo que retrata Miike es en buena medida el mundo de los adolescentes, un mundo que por propia definición es inconquistable para los adultos. Pero el yakuza con el cual Genji hace buenas migas es el único forastero que comprende los códigos violentos que rigen en Zusuran, y eso se debe a un motivo muy simple: el yakuza, en su juventud,

formó parte de ese colegio. Ken es un personaje trágico, quizá el único adulto del film que se plantea la tragedia de no haber llegado a convertirse en lo que soñaba para él mismo, y en ese mecanismo que lo lleva a la frustración, Miike arma un héroe signado por un presente truncado, pero con la posibilidad de una última redención (redención que el personaje finalmente logra, convirtiéndose en otro de los pocos héroes de Miike en alcanzar un final de relativa felicidad).

Es llamativo el curioso ejercicio que Miike pone en práctica con *Crows Zero*. Si bien a priori el protagonista parece ser Serizawa, el amo del instituto, mientras que el villano es Genji, el film paulatinamente empieza a invertir los roles, haciendo que el espectador sienta una empatía más fuerte por el nuevo alumno que por el antiguo. De esa manera, el espectador ideológicamente se suma a la filas de Genji, y comprende que Serizawa es el statu quo que se debe destruir. Y cuando ese estudiante parece el enemigo, Miike le otorga a Serizawa una complejidad dramática espesa, al contar que su mejor amigo y principal confidente, Tatsukawa Tokio, es víctima de un aneurisma que amenaza con matarlo. La mirada de Miike es que en este film no hay héroes ni villanos, sino simplemente individuos que intentan alcanzar un sueño determinado, pero que no por eso están exentos de una vida cargada de amarguras. Las violentas reglas que marcan la cotidianeidad del instituto Serizawa, al ser respetadas por adolescentes, oscilan constantemente entre el juego y la seriedad, y la rivalidad que enfrenta a ambos protagonistas, una vez que los asuntos se resuelven, da paso a una relación de otra naturaleza. En *Crows Zero*, Miike vuelve a su eterna fascinación por los personajes que luchan por "despegar" de sus vidas mediocres. La necesidad de trazarse un objetivo es el único motor que redime a estos personajes de una vida cargada de una violencia absurda, y es lo que los eleva hacia un estado superior. Como en **Dead or Alive 2**, la idea de los personajes levantando vuelo (ya sea literal o metafórico) es lo que les permite trascender en su propia historia, y por ese motivo resulta comprensible que el director se haya sentido atraído por un manga que hace un emblema de la figura de un cuervo que elige siempre el volar, antes que permanecer encerrado en una jaula como un pájaro. Para un director tan vinculado a los mundos adolescentes y a los dramas estudiantiles (mundos que explora

desde los comienzos de su obra, con films como los **Young Thugs**), la idea de explorar un universo compuesto exclusivamente de adolescentes era cuestión de tiempo. En muchos sentidos, los protagonistas de *Crows Zero* parecen descendientes de otros jóvenes héroes de Miike: los protagonistas de **Osaka Tough Guys**. Pero los muchachos de *Crows Zero*, a diferencia de los de *Osaka*, cargan a sus espaldas las frustraciones y amarguras propias de un director que evolucionó a través de su carrera, y lo que antes era solamente una cuestión de

juegos, ahora es una cuestión mucho más serie. Y la única expiación posible que Miike da a estos personajes de *Crows*, es poder reencontrar la alegría en la violencia, y disfrutar las peleas con una inconsciencia plena. La última escena del film, cuando Genji se enfrenta al que podría ser su último adversario, con una sonrisa en la cara, es la redención que Takashi le obsequia a sus héroes, que luego de mucho penar, encuentran en el placer de la pelea la única forma plena de vivir la vida. Para nosotros, los de afuera, puede que nos resulte una salvajada, pero para ellos, esa es la felicidad. Y el mérito de Miike está en haber comprendido que sus personajes son felices sin necesidad de rendirle cuentas a nadie del exterior, ni siquiera a sus propios espectadores.

De God's Puzzle a Zebraman 2: Attack on Zebra City

La siguiente película del prolífico director, lamentablemente, termina siendo uno de sus films menos logrados. Se trata de **God's Puzzle**, basada en la novela homónima de **Shinji Kimoto**. El protagonista aquí es Motokazu, un joven aprendiz de cocinero y amante de tocar la guitarra, que recibe la

llamada de su inteligente gemelo, quien le pide que lo reemplace en la universidad en la que estudia física, mientras está de viaje. Aunque algo a regañadientes (sus conocimientos de física se reducen a cero), pero con la idea de mantener un perfil bajo, Motokazu acepta el hacerse pasar por su hermano por un tiempo. Pero allí, cambia su agenda y decide poner toda su energía en conquistar a Shiratori, una bella compañera de clase. Pero sus planes forzadamente tomarán otro rumbo cuando una superior le pide que vaya en busca de Saraka, una estudiante superdotada que, por vanidad, elige faltar sistemáticamente a todas las clases. Saraka es arisca, muy inteligente, y si bien se muestra distante y orgullosa, en su interior carga la angustia de saber que fue una bebé concebida por una madre soltera, inseminada artificialmente con el esperma de un donante

anónimo. La primera hora del film es entonces un juego casi de comedia romántica, en el que Motokazu intenta ocultar su evidente ignorancia con respecto a la física, mientras pretende ganar el amor de Shiratori, y trabajar codo a codo con una mujer tan inteligente como Saraka. A ella no le cuesta ni cinco minutos descubrir que Motokazu es un farsante, pero decide no delatarlo, y la relación entre ambos personajes se vuelve más estrecha cuando forman parte de un proyecto universitario que consiste en descubrir si es o no posible construir un universo desde cero. Así es cómo en la segunda hora del film, el tono de lo que se suponía una comedia romántica vira hacia un drama amargo con dosis de existencialismo y hasta ciencia ficción. Pero en ese giro de temática, la película comienza a perder fuerza, y los personajes pierden paulatinamente su encanto. Es que un recurso que en el pasado Miike había utilizado con astucia, aquí parece totalmente forzado, casi como si Takashi hubiera decidido resetear su película en el minuto 60. El exagerado tono dramático no termina de convencer, las tediosas explicaciones acerca de la física terminan aburriendo, y quizá el golpe de gracia sea la evidente falta de química entre la pareja protagonista. Cuando Miike presentaba este film decía que en la primera mitad era una comedia romántica, y en la segunda, un estudio sobre la destrucción de la humanidad. Así presentada, suena como una fórmula irresistible, pero que en el traslado a la pantalla resultó ser un verdadero paso en falso.

El año 2009 comienza muy fuerte para Miike, ya que le toca estrenar la adaptación al cine de un muy popular anime oriental. Se trata de ***Yatterman***, una serie muy famosa que se transmitió de 1977 a 1979, y que en 2008 fue relanzada en una nueva serie de animación, preparando la pista para la llegada del film de Miike (en enero de 2015 se lanzó también una tercera serie, titulada ***Yatterman Night***). El director, que en esta instancia era indudablemente un realizador del circuito *mainstream*, se dio el gusto de concretar un film de aventuras perfecto. Luego del paso fallido que significó ***The Great Yokai War***, *Yatterman* es una suerte de reivindicación de Miike dentro de ese género. El argumento del film es herencia directa de la serie animada: Gan-Chan y Ai-Chan son el dúo *Yatterman*, que junto al androide del título (un robot enorme con forma de perro) y al pequeño Omochama, combaten contra un malvado trío

de villanos, liderado por la peligrosa Doronjo y sus dos secuaces: Boyacki y Tonzura. Ese enfrentamiento se recrudece cuando aparece en escena Shoko, una chica hija de un arqueólogo que desapareció buscando las piedras de la Calavera Azul, una pieza muy poderosa que fue dividida en cuatro fragmentos, y puede otorgar a quien los reúna un poder inconmensurable para hacer lo que desee. Así es como ambos bandos comenzarán una carrera contrarreloj en distintos lugares del mundo para ver quién será el primero en hacerse con todas las piezas, sin saber que detrás de todo se encuentra una amenaza mucho mayor, que pondrá la vida de héroes y villanos en juego. La trama, que condensa de manera muy efectiva los distintos aspectos de la serie animada, logra captar la ecléctica estética de la serie original y llevarla a un film de imagen real. Este es el primer mérito de Miike en la construcción de su *Yatterman*: la fidelidad con la que trabajó la identidad visual de ese universo. El ejercicio de trasladar con absoluta lealtad un tebeo, un juego de consola o una serie animada al cine de acción real, se ha hecho en muchas oportunidades, pero fueron pocas las veces en las que ese traspaso se hizo con éxito. En general, los directores, o bien desconfían de cómo puede llegar a quedar el material original en su adaptación en la pantalla, o directamente deciden alterarlo para, supuestamente, mejorarlo. Pero el caso de Miike está muy alejado, porque él busca la manera de respetar la estética de la animación sin que en la pantalla de cine eso quede totalmente ridículo. Los vistosos trajes de los héroes, las absurdas técnicas de pelea entre los robots, las posturas de batalla del dúo protagónico y hasta el imposible bigote de Boyacky están presentes en la película, y nada de eso queda absurdo. El equilibrio de un universo estético tan vibrante tiene que ver con que Miike está muy acostumbrado a saltar de temática en temática, siendo un director que no se limita a ningún género puntual. Los musicales en *Yatterman* funcionan a la perfección (herencia de *La Felicidad de los Katakuris*), las peleas están perfectamente sincronizadas dentro del film (herencia de *Zebraman*), la estética de colores furiosos tampoco desentona (herencia de *Andromedia*) y el humor absurdo está a la orden del día (herencia de *Osaka Though Guys* y de *We Are No Angels*); por todo esto Miike supo ensamblar tan bien todos los dispares elementos que

conforman la identidad de *Yatterman*.
Y Takashi no necesitó eliminar ningún aspecto temático de la serie animada, porque ya estaba familiarizado con el humor, la acción, el drama
y el musical. Aunque *Yatterman* no
tenga héroes melancólicos, yakuzas
afligidos, sociedades corrompidas
ni personajes solitarios, y aunque
Yatterman sea para muchos una película feliz, de esas que uno desea que
jamás terminen, no deja de tener la
impronta de Miike en cada uno de
sus poros. *Yatterman* fue un film que
en Japón triunfó de manera desco-

munal, convirtiéndose en el más visto durante el fin de semana de su estreno,
y siendo uno de los largometrajes más exitosos comercialmente a lo largo de
2009. Los japoneses, probablemente, comprendieron el maravilloso juego estético propuesto por Miike y apoyaron masivamente a un film tan celebrador
de la aventura. Esto nos lleva a repensar, aunque sea por un instante, en la
versión de ***Speed Racer*** que los hermanos **Wachowski** habían estrenado apenas
un año atrás y que tantos elementos tiene en común con *Yatterman* (no solo el
hecho de ser un producto adaptado de una serie animada japonesa, sino porque
los Wachowski también llevaron con fidelidad el universo estético de la serie
a la pantalla grande). Donde *Yatterman* se convirtió en un film exitoso, *Speed
Racer* fue pésimamente criticada, una inequívoca señal de que el trabajo de los
Wachowski no tuvo la suerte de encontrar el público que merecía. Y la suerte la
tuvo *Yatterman*, que en las taquillas japonesas fue una apisonadora, demostrando así la versatilidad de Miike, que pudo concretar su gran obra maestra dedicada al público más pequeño (y de la que también pueden disfrutar los adultos).

El segundo y último film de 2009 es ***Crows Zero 2***, y con seguridad puede
decirse que, de todas las secuelas filmadas por Miike, esta es la mejor de todas
(sin contar a ***DOA 2***, que si bien es una secuela, no necesariamente es una continuación directa de su antecesora). *Crows Zero 2* retoma en la escena que cerraba
a la primera, o sea, cuando está a punto de comenzar la batalla entre Genji y
Rindaman. La pelea es breve y Rindaman, con pocos golpes, vence a su opo-
nente. Pasan algunos meses, y mientras que Genji aún ansía erigirse como el
luchador más fuerte de Suzuran, muchos alumnos aún ven como el verdadero
líder a Serizawa, aun a pesar que haber sido derrotado por Genji. Los dos muchachos siguen enfrentados, pero un peligro externo los pone en la cuerda floja.
Mientras que los alumnos de la escuela Housen perseguían a un viejo alumno
de Suzuran para molerlo a golpes (ese alumno se llama Kawanishi Noburo y
había salido de prisión ese mismo día después de apuñalar en una pelea al líder
de Housen), Genji termina rompiendo un pacto de no agresión entre ambos
institutos cuando golpea a uno de sus alumnos. Los de Housen, todos ellos dueños de un uniforme blanco que contrasta fuertemente con el negro de Suzuran,
tiene fama de ser muy peligrosos, y la ruptura del pacto de no agresión significa

que Genji y Serizawa deberán dejar a un lado sus diferencias para construir
un frente común que pueda vencer a sus nuevos oponentes. Básicamente este
es el argumento de *Crows Zero 2*, y a diferencia de todas las otras secuelas que
dirigió Miike, esta no es una pobre repetición de su antecesora (como sucede
con las *Kiba*, o en *Waru 2*), ni es una misma historia que fue fragmentada para
no convertirse en una película de 6 horas (como en *The Third Yakuza*); nada de
eso, *Crows Zero 2* es una continuación pensada y ejecutada como una secuela
que sirve para descubrir qué sucedió con esos personajes, porque si bien la
primera escena es inmediatamente posterior al cierre del primer film, rápidamente Miike presenta una elipsis que sitúa la acción ocho meses después, no
casualmente cuando falta poco tiempo para que la generación de Genji se gra-
dúe del instituto. Elegir esa instancia no es un capricho, sino la forma en la que
Miike marca el momento de transición obligatorio que enfrentarán todos estos
personajes. Ellos son felices (a su manera) dentro de las paredes de Suzuran, y
la falta de ellas, los enfrenta a la cruel realidad de decidir no solo qué harán de
sus vidas, sino también descubrir si todas esas peleas de las que participaron les
servirán de algo en el futuro. El tema central en *Crows Zero 2* será entonces el de
dilucidar qué significa abandonar esa escuela. En la perspectiva de la película,
los personajes parecen dividirse en dos bandos: los que eligen crecer y los que
eligen quedarse con la miseria y el eterno recuerdo de lo felices que fueron en
Suzuran, siendo esos los personajes destinados a no avanzar en sus vidas. De
este último grupo, el más representativo es nuevamente Ken, el yakuza que en
la primera parte de la saga ayudó tanto a Genji. Ken se encuentra llevando una
vida tranquila pero no deja de hablar sobre lo bueno que fue el formar parte

de Suzuran y cómo después su vida fue una seguidilla de fracasos. Pero Miike redime al personaje, y cuando Ken parecía ahogado en una mediocridad apabullante, logra salvarle la vida a su antiguo jefe, obteniendo un perdón y entrando así en una nueva etapa de su vida.

Volviendo a Genji y Serizawa, en buena medida el film sirve para analizar el proceso de crecimiento de ambos, principalmente de Genji, cuando su padre queda en coma luego de un ataque y el muchacho debe asumir que la llegada de su vida como adulto es inminente. Por eso para Genji, la necesidad de convertirse en el número 1 de Suzuran adquiere nuevas dimensiones, porque ya no se trata de ser el más fuerte, sino de cumplir un objetivo que puede prepararlo mejor para su vida como yakuza. Mientras muchos alumnos del instituto ven las peleas como un divertimento, Genji las ve como un necesario entrenamiento para su futuro, y el miedo de perder la escuela se convierte en una realidad cuando los alumnos de Housen prenden fuego a Suzuran, acelerando así la llegada de la inevitable batalla campal. *Crows Zero 2* es la secuela perfecta, porque no viola la identidad de los personajes como fueran presentados en la primera, porque no es un *remake* encubierto y porque muestra otro aspecto de sus protagonistas. Más allá de las peleas y las poses chulas de todos los héroes (que, en gran medida, son el gran atractivo del film, para qué engañarnos), *Crows Zero 2* se convierte en una sucesora muy digna de *Crows Zero*, formando un dueto perfecto sobre las violentas vidas de Genji, Serizawa, Tokio, Rindaman, y el resto de este fascinante grupo de estudiantes.

En 2010, Miike estrena ***Zebraman 2: Attack on Zebra City***. A seis años de distancia con respecto a la primera parte de la saga, Takashi decide retomar el universo de este particular héroe, en una segunda parte que está muy a la altura de su antecesora. El film comienza, en una línea similar a la de *Crows Zero 2*, contando lo que sucede inmediatamente después del cierre de la primera parte. Así es como nos enteramos de que todo el mundo sabe que el profesor Shinichi Ichikawa es en realidad el héroe enmascarado. Por ese motivo, multitudes de personas lo esperan siempre en la puerta de su hogar, pidiéndole a gritos que diga su frase emblema, mientras que en el rostro del hombre es evidente su incomodidad. Pero de golpe, todo se vuelve una confusión y Shinichi despierta misteriosamente quince años en el futuro. En esa nueva realidad, Tokio ha sido rebautizada Zebra City y se ha convertido en una suerte de estado fascista dominado con crueldad por un gobernador y su hija Yui, una sádica cantante pop que aspira solo al triunfo. Shinichi, que ha perdido la memoria, es atendido por un médico en un refugio en las afueras de la ciudad. Ese joven doctor recuerda al hombre porque de niño fue su alumno. El médico tiene la

esperanza de que Shinichi pueda convertirse nuevamente en Zebraman y que la paz vuelva a Zebra City, pero todo empeora cuando Yui mata a su padre y se corona a sí misma como Zebra Queen. Shinichi, por su parte, conoce en el refugio a una mujer que está encerrada en el cuerpo de una niña gracias a que en los ataques el primer film, uno de los extraterrestres logró meterse en su cuerpo. Gracias a ese contacto, el maestro recordará su antiguo rol y comenzará a recuperar su fuerza de Zebraman, con la mente puesta en derrotar a Zebra Queen. Esa contienda derivará en un inesperado trabajo en equipo entre ambos personajes, con el objetivo de eliminar a un nuevo extraterrestre gigante que amenaza con destruir la ciudad.

Si bien la película no supone una vuelta de tuerca novedosa en materia de películas de superhéroes, el gran triunfo de Miike se encuentra en que sabe perfectamente cuáles son los polos de interés de su película. Miike apuesta por la idea de un héroe bondadoso ante todo, que entienda el bien y la justicia como el único objetivo posible. La película cuenta que en esos quince años en los que Shinichi estuvo "durmiendo", fue en realidad víctima de un experimento en el cual separaron lo blanco (el bien), de lo negro (el mal), y que la peligrosa Yui es en realidad ese aspecto negro que se desprendió de la maldad interna de Shinichi. El universo de Zebraman planteado por Miike, al menos en un principio, es precisamente así: blanco o negro, pero esa realidad maniquea poco a poco comenzará a dar lugar a ciertos matices. Por otra parte, *Zebraman 2* habla mucho sobre la idea de los legados y cómo la sociedad puede llegar a interpretar erróneamente los legados de sus héroes populares. La idea de una Zebra City con una fuerza policial abusiva vestida con los colores del héroe, habla del egoísmo de individuos oportunistas que toman a ídolos sociales para deformar su imagen y reconvertirla según sus mezquinos intereses (como en este caso, el gobernador y su hija). Como distopía futurista, la idea es clara: los

héroes llegan siempre no solo para corregir lo que está mal, sino también para equilibrar la balanza a favor de los sectores más maltratados.

En *Zebraman 2*, Miike vuelve a reflexionar sobre la idea del individuo que se encuentra solo a la fuerza y sin contar con un núcleo de pertenencia. En una de las escenas finales, Yui menciona que aquellas personas que deben preocuparse por la gente que aman, son personas débiles, entendiendo ella el amor como un fallo del ser humano. Miike emparenta la maldad con la idea de la soledad, casi como si la villanía surgiera ante la carencia de un entorno cariñoso. Pero el director, que en esta instancia de su carrera es más benévolo con sus personajes, le da a Yui la posibilidad de una reivindicación final, y de unirse en cuerpo y alma con Shinichi, para que así surja nuevamente *Zebraman* con todo su poder. Aunque Shinichi es el blanco, es lo bueno y es lo puro, y Yui es el mal arrepentido, Miike comprende que un universo donde ambos elementos se encuentren separados es un universo incompleto. Lo último que vale la pena destacar de *Zebraman 2* es que marca (al menos hasta el momento) la última colaboración entre Miike y el actor **Sho Aikawa**, un hombre que, como ya se mencionó, puede ser considerado el artista que mejor representa a cierto tipo de personaje que siempre está muy presente en el cine de Miike. El fin de esta sociedad no marca necesariamente un cierre temático dentro de la carrera de Miike, pero sí el adiós a una de las caras más reconocibles dentro de la filmografía de este director (dicho esto con perdón a **Kenichi Endo**, que estuvo en más películas de Miike pero casi siempre interpretando personajes menores).

De 13 Asesinos a Ninja Kids

Y llegamos a *13 Asesinos*, una película que sin lugar a dudas es un verdadero quiebre dentro de la obra de Miike. Los protagonistas son los 13 asesinos del título, un grupo comandado por el experto Shinzaemon, un eximio samurái (ahora retirado) que recibe la misión de asesinar a Naritsugu, el sádico medio hermano del actual Shogun. Dado que es una misión que bajo ningún punto de vista puede ser oficial, Shinzaemon se encuentra con la difícil posición de aceptar un trabajo suicida y de formar un grupo de guerreros que esté a la altura de las circunstancias. Producida por **Jeremy Thomas** (responsable de **Hermano**, de **Kitano**), *13 Asesinos* es un film de quiebre para Miike, porque marca el regreso del director al *jindaigeki* (film de época), luego de muchísimos años y de proyectos

poco logrados como lo fueron **Sabu** o **Kumamoto Monogatari**. Por eso, *13 Asesinos* significa la primera gran obra maestra de Miike vinculada al siempre atractivo mundo de los samuráis. En un segundo nivel, esta película también sirve para comprender el peso que Miike había ganado en la industria de cine japonesa, siendo capaz de construir una cinta tan monstruosa y de un presupuesto enorme, dueña de un sentido de la épica como lo fueron *Intolerancia* (Intolerance, 1916), de Griffith, o incluso los films de **Cecil B. Demille**. También es importante mencionar que Miike no es alguien que se embriague con el poder ni que abuse de los espectáculos audiovisuales chatos, un peligro que podría haberse concretado en este largometraje. Como se ha señalado varias veces en este libro, es imposible no destacar lo valioso que fue para Miike el haber comenzado su carrera en el V-Cinema, donde los presupuestos casi no existían y había que lograr narrar mucho con poco. Gracias a eso, Takashi se convirtió en un director que jamás perdió de vista que el objetivo central de un film es contar una historia apasionante, más allá de cuánto pueda decorarse el film en cuestión. Y eso da como resultado que cuando en el film se inicia la esperada batalla final, el espectador está bastante familiarizado con esos 13 guerreros y cuál es la motivación por la que aceptan dejar la vida en el campo de batalla, metiéndose en un enfrentamiento totalmente desigual. Conocer a los personajes antes de mandarlos a la batalla es un vínculo que une a este film con otro largometraje del que *13 Asesinos* es hijo directo, *Los 7 Samuráis* (1954), de **Akira Kurosawa**. Resulta extraño, teniendo en cuenta que aquí se habla exclusivamente de cine japonés, casi no haber mencionado al gran Kurosawa, pero es que en el cine de Miike prácticamente no hay ningún rastro de la obra de Akira, ni temático ni estilístico. Miike brinda siempre una mirada mucho más cínica y desenamorada de sus antihéroes, pero aquí, en *13 Asesinos*, es donde los caminos parecen encontrarse. Más allá de la evidente similitud entre las estructuras de ambas películas (un improvisado grupo de espadachines se enfrenta a un grupo de rivales que claramente lo sobrepasa en fuerza y número), hay dos aspectos que marcan parentesco entre ambas. Ante todo, la convicción de sacrificarse por un bien mayor. El grupo de asesinos se conforma por un objetivo en común: matar al sádico Naritsugu. Esa necesidad de matarlo tiene que ver con que él es un obstáculo en el camino hacia un Japón más

próspero, y por ese motivo los protagonistas comprenden que sacrificar su vida en esa misión persigue la búsqueda de un logro que afectará y mejorará la vida de todos los japoneses. No hay en el cine de Miike muchos ejemplos de héroes decididos a dejar su vida por un bien mayor. Sí hubo personajes decididos a sacrificarse por sus jefes, pero ese sacrificio terminaba ahí, y no encerraba la idea de un bien mayor, sino de una deuda ética vinculada exclusivamente a un código de honor. Pero aquí, el grupo

de héroes comprende la importancia de su misión como única vía para mejorar a Japón. Uno de los personajes, Ogura, dice en un momento: *Desde que de-
cidí vivir por la espada he esperado este día para usar mis habilidades por la sociedad*;
para un héroe de Miike, esa mirada es totalmente nueva. En este sentido, y
como ya se ha mencionado anteriormente con otros personajes, los protagonistas de *13 Asesinos* son fáciles de hermanar con los héroes del western clásico.
El héroe de western, al menos el más astuto, es el que comprende que su período llegó a un fin, y que la sociedad se abre a un nuevo ciclo en el que ya no
necesitará más pistoleros que solo vivan por la ley del revólver. Y el grupo de
protagonistas de *13 Asesinos* comprende la realidad de esa misma manera, y
por eso están dispuestos a dejar sus vidas, porque comprenden que están viviendo una era que se termina, una era en la que ellos podrían no llegar a
adaptarse (Shinzaemon confiesa, cuando se está muriendo, que ser samurái es
una carga, lo cual habla de la fatiga emocional de ese personaje y de la necesidad de entregarse a la muerte sabiendo que cumplió su tarea). Y aquí es donde
la película divide a sus personajes en dos grandes bandos: los que aceptan la
carga que llevan y quienes la niegan. Mientras que los héroes del film aceptan
la llegada de una realidad distinta, Naritsugu prefiere negarla por completo; y
ahí reside la necesidad de matarlo, porque si él siguiera con vida, la sociedad
japonesa estaría condenada a retroceder. Siguiendo el juego de diferencias entre los samuráis de Miike y de Kurosawa, hay que mencionar el mismísimo
título de ambos films, porque Miike elige la palabra *Asesinos* en vez de *samuráis*.
Ante todo, eso tiene que ver con que muchos de los héroes de Miike no son
estrictamente samuráis, y cómo por eso están dispuestos a luchar con lo que

haga falta. El mantra de los asesinos, bien podría ser *"lo que importa es el objetivo, no los medios"*, una idea alejada de la pandilla integrada por **Toshiro Mifune** en *Los 7 Samuráis*. Casi podría decirse que los protagonistas de *13 Asesinos* son la renovación necesaria de aquellos viejos héroes, más disciplinados pero igual de idealistas. Otro aspecto que aparece en *13 Asesinos*, y que tiene que ver con la película de Kurosawa, se da con el personaje de Koyata, un hombre de montaña, totalmente descastado y que entiende el unirse al grupo de los asesinos como un signo de elevación de clase. Así descrito, es un verdadero calco del Kikuchiyo de Mifune. Koyata siente vergüenza por no estar a la altura de su linaje y entiende que la única reivindicación posible es luchar junto a un honorable grupo de guerreros. La soledad de Koyata es evidente, y ese es un eslabón mucho más común en los personajes de Miike. En muchas películas de Takashi, la idea de un grupo formado por gente solitaria es una constante, y los héroes que buscan un grupo de pertenencia son uno de los elementos más comunes de su cine. Héroes huérfanos de familia, descastados de sus entornos o que viven en los márgenes de la sociedad, son la clase de personaje que más le interesa trabajar a Miike, y esta idea está muy presente en *13 Asesinos*. La falta de vínculos emocionales, que siempre fue para los personajes de Miike una gran carencia, aquí se convierte en una virtud, y sino tomemos el caso del propio protagonista. Que Shinzaemon se convierta en el hombre indicado para el trabajo tiene que ver con que no tiene ningún objetivo en su vida. Al ser un hombre viudo y retirado de su vida como samurái, carga con la experiencia y habilidad necesaria para concretar el objetivo, y es evidente que si su mujer siguiera viva, Shinzaemon no aceptaría de tan buena gana una misión tan

compleja (otro eco del western: Shinzaemon remite mucho al personaje de **Clint Eastwood** en *Sin perdón* –Unforgiven, 1992–, pero si bien en ese film el pistolero estaba totalmente fuera de forma, aquí el héroe demuestra que aún conserva su excelsa habilidad como espadachín). Quizá la única excepción a todo esto sea el personaje de Shinrokuro, el sobrino de Shinzaemon. Shinrokuro está casado pero vive una vida entregada por completo al juego y a la lujuria, y por ese motivo Shinzaemon lo quiere enrolar en su ejército, para que él también pueda trascender al hecho de ser un bueno para nada. Y en este sentido, es comprensible que justamente los que sobrevivan sean Shinrokuro y Koyata. Porque ellos no pelean para cambiar Japón (el discurso final de Shinrokuro es la clara prueba de eso), sino que pelean para darle un sentido a sus vidas, esperando de ese combate, una enseñanza que puedan aplicar a futuro, aunque más no sea, la satisfacción del deber cumplido. *13 Asesinos* es con seguridad una de las obras fundamentales en la carrera de Miike, un film complejo que significa un primer acercamiento a un tipo de héroe distinto del que venía trabajando, pero no por eso, menos vinculado a los sufridos protagonistas que pueblan toda su filmografía.

Tras haber trabado sociedad con Jeremy Thomas para el film *13 Asesinos*, Miike vuelve a trabajar con el mismo productor para su siguiente film, ***Hara-Kiri: Muerte de un samurái***, remake del mítico largometraje de 1962 dirigido por **Masaki Kobayashi**, cuyo guion adaptado de la novela homónima fue por cuenta de **Shinobu Hashimoto** (guionista también responsable de **Rashomon** y **Los Siete Samuráis**). Si bien no son recurrentes los remakes dentro de la obra de Miike, hay varios componentes en la historia de *Hara-Kiri* que indudablemente se acercan al universo temático de Takashi. En un ejercicio de respeto notable hacia el material original, Takashi no altera demasiado a la película clásica, haciendo solo algunas modificaciones y cambiando determinadas situaciones con el único fin de construir otro tipo de tensión dramática. El film comienza a mediados del siglo XVII, cuando un ronin llamado Hanshiro se presenta en la casa del clan Li para pedir que le permitan hacerse allí un hara-kiri. Cuando ingresa, a Hanshiro le dicen que muchos ronin se presentan con la misma excusa solo para despertar la compasión del señor de la casa, que él les de unas monedas de oro y les diga que no es necesario que se

quiten la vida. Así es cómo Hanshiro conoce la historia de Motome, un joven samurái que se presentó especulando con una limosna, pero al que obligaron a hacerse el hara-kiri. Lo que nadie imagina es que Motome es en realidad el yerno de Hanshiro, que recurrió a esa medida desesperado por la pobreza que amenazaba con matar de hambre a su pequeño bebé y a su esposa. Hanshiro, decidido a vengarse y a dejar en evidencia la hipocresía que lo rodea, llevará su decisión de hacerse el hara-kiri hasta

las últimas consecuencias, pero no sin antes plantar cara a las personas que dieron la espalda a Motome. *Hara-Kiri: muerte de un samurái* fue el primer film de Miike en 3-D, y si bien es, al igual que *13 Asesinos*, otro *jindaigeki,* éste se encuentra en las antípodas de ese film, al tratarse de un drama muy duro en el cual las batallas con espada están relegadas a un segundo plano.

Un aspecto interesante de este film es que marca la única colaboración entre Miike con el famoso compositor **Ryuichi Sakamoto**, otra elección que si bien a priori puede resultar extraña para Takashi, tiene mucho que ver con el tono de *Hara-Kiri*. Sakamoto, capaz de construir melodías nostálgicas, cálidas e introspectivas, que muchas veces parecen llorar los sinsabores de una vida agridulce (y que por eso son ideales para los films de **Kitano** y de **Hayao Miyazaki**), se convierte en el marco perfecto para retratar la vida de los sufridos protagonistas de *Hara-Kiri*. Miike examina el film de Kobayashi y su constante preocupación por cómo el contexto puede llegar a disminuir a un individuo, ética y moralmente (un tema plasmado de manera descarnada en la trilogía de Kobayashi *La Condición Humana*). A lo largo de decenas de películas, Miike estudió con precisión los cambios de comportamiento en los individuos, y cómo un hombre, una vez que pierde lo que es valioso para él,

puede llegar a convertirse en un feroz guerrero dispuesto a dar de sí lo que sea necesario. Porque esto es así: el cine de Miike está inundado de individuos desesperados por no poder superar heridas de su pasado, que se resignan a morir ante la frustración de saberse huérfanos de una vida que pudo haber sido próspera, pero que por avatares del destino se convirtió en miserable. Y así, muchos personajes de Miike se convierten en fantasmas frustrados ante la pérdida de un statu quo pleno. Eso le pasa a Kakihara en *Ichi*, al joven protagonista de *Andromedia*, al dueño de la imprenta en *Shangri-La*, al viudo de *Audition,* e incluso al sufrido Katayama de *Sun Scarred*. Se trata de personajes a quienes les arrebatan un presente pleno, y que ante ello, deciden tomar las medidas que crean necesarias para hacer justicia por mano propia, pero jamás eligiendo el camino de la inacción. En ese grupo de héroes atormentados es donde se incluye a Hanshiro, un hombre que descendió a los infiernos y que a pesar de intentar construir una familia

compuesta por su hija, su yerno y el bebé de ambos, la pobreza en la que todos estaban sumidos los llevó a tomar medidas de desenlaces trágicos. Pero la tragedia en la vida de Hanshiro, más allá de las muertes que lo rodearon, tiene que ver con encontrar que su vida no vale nada, y que el honor que siempre dirigió su camino termina siendo una absoluta maldición. En *Hara-Kiri*, tanto en la versión de Kobayashi como en la de Miike, hay una mirada muy crítica sobre el bushido, o sea, el código de honor samurái, siendo ese un paradigma sagrado dentro de la sociedad japonesa. Ese honor del que tanto se jactan los expertos guerreros se convierte en cenizas cuando esos mismos samuráis no logran conseguir trabajo y deben enfrentar a los sinsabores de la pobreza absoluta. El hara-kiri de Motome, que debe practicar con su espada de bambú, es quizá el momento más duro con respecto a esto. Se deduce que Motome porta una espada de bambú porque en el afán de conseguir dinero para su bebé debió vender su espada de acero, y llevar esa espada de madera significa para él una verdadera vergüenza. El samurái del castillo que obliga a Motome a practicar el ritual con la de bambú demuestra en ese acto un nivel de sadismo enorme, sadismo que el personaje confunde con "nobleza", eligiendo no ver la compleja situación de Motome.

En la escena del enfrentamiento final, cuando Hanshiro, también portando una espada de bambú, desafía a los mismos testigos frente a los que pereció Motome, los increpa preguntándoles: *Qué podéis saber vosotros de esto, que tenéis trabajo y que podríais haber sufrido el destino de Motome*. Esa afrenta marca la oxidada realidad de ese código samurái, que solo parece ser útil para los más beneficiados por el destino. La otra tragedia del film se da cuando los verdugos de Motome, que perdieron su honor al haber sido asaltados por Hanshiro, se practican el hara-kiri sin dudarlo, ante la mirada sorprendida de sus compañeros, quienes parecen sentir que la situación es absurda. El honor samurái es una burla, y el desprecio innegable que por él siente Hanshiro se corporiza cuando arroja a un samurái hacia la figura del guerrero rojo, objeto sagrado de la Casa Iyi. Destrozando esa figura como el objeto sin vida que es, el personaje pone en evidencia que el código de honor samurái es un paradigma roto. Miike refuerza esa idea cuando en ese enfrentamiento final pone a luchar a una espada de bambú contra cincuenta espadas del acero más afilado, preguntándonos de esa manera qué clase de honor se podría estar defendiendo en una batalla tan desigual.

Tras el éxito comercial que supuso *Yatterman*, Miike vuelve al poco tiempo a sumergirse en un film de aventuras apuntado al público infantil. Así es como se encarga de realizar la adaptación al cine de ***Ninja Kids***, basado en el conocido manga (también con versión animada) creado por Sobe Amako en 1986. El

protagonista del film es Rantaro, un niño pequeño, hijo de agricultores, al que sus padres inscriben en una academia ninja. Rantaro ingresa a la escuela ninja y allí conoce a otros niños que, como él, llegan a ese sitio para entrenar en las artes ninja, y cómo todos ellos deberán hacerle frente a una terrible amenaza. Con un marcado tono de comedia (el momento en el que los niños le tiran propinas a su profesor en la práctica con shurikens debe ser uno de los pasos de comedia más brillantes de toda la filmografía de Miike), *Ninja Kids* es un relato infantil muy preciso en el que Miike equilibra a la perfección el humor y la aventura. Al igual que sucede en *Yatterman*, Takashi comprende qué elementos debe resaltar dentro de un universo que le es ajeno, pero del cual se apropia para incorporarlo a su universo cinematográfico. La familia, la falta de ella y la idea de construir un futuro próspero son los ejes que toma Miike en esta película, y los niños de *Ninja Kids* se convierten así en dueños de un universo feliz, colmado de adultos y de otros pequeños que intentan descubrir cuál es su sitio en el mundo. Como una versión alegre de esos yakuza torturados que a Miike tanto le interesan, Rantaro también anhela descifrar qué sitio es el que le corresponde, si la granja de sus padres o la escuela ninja. Y el niño, desde el minuto uno de la película, entiende precisamente que la academia ninja es el único lugar al que puede ir para construir un futuro sin frustraciones, ya que no solo desea convertirse en un gran ninja, sino también porque así puede ser el orgullo de sus padres. Quizá el personaje que indudablemente aporta el ingrediente agridulce de la película es el niño cuyos padres murieron y se encuentra solo. Ese pequeño marca también el interés de Miike por los personajes solitarios, esos que signados por la tragedia no tienen una familia que los contenga. Una vez más, los ecos de los yakuzas solitarios de Miike se encuentran en ese niño, pero aquí, dado que el film es una aventura en tono de comedia, el pequeño no sufre esa ausencia, sino que intenta superarla encontrando una familia suplente en su maestro. Pero más allá de ese personaje, resulta casi imposible

encontrar momentos amargos en *Ninja Kids*, momentos tristes que empañen la felicidad de un universo visto a través de los ojos de unos niños sedientos de aventura. Y ese es el objeto clave que hace de esta película una pequeña joya, porque los niños de Miike son, ante todo, niños. Siempre se menciona que muchos directores mediocres utilizan a los niños como si fueran adultos en miniatura, y esto es lo que exactamente no sucede en *Ninja Kids*, porque los niños son siempre niños, todos ellos sedientos de aventuras. No son niños amargados ni cargados por un drama que los sobrepasa, son niños que ven todo con felicidad y que reconocen el peligro, pero que no por eso se acobardan. La clave que hace de *Ninja* Kids una gran película es que Miike pone el acento en la mirada de los niños y en el redescubrir ese apasionante mundo ninja desde una nueva perspectiva totalmente refrescante.

De Ace Attorney a The Mole Song: Undercover Agent Reiji

En febrero de 2012, Miike estrena en los cines japoneses el film **Ace Attorney**, una cinta de abogados basada en la muy popular franquicia homónima de videojuegos. Una vez más, Miike se ubica en la compleja posición de llevar a la pantalla grande un universo que parece confinado a otro medio audiovisual, como es en este caso un videojuego. Pero Takashi, que es una suerte de termita capaz de devorar mundos ajenos y volcarlos en el cine, fue capaz (otra vez) de lo imposible: trasladar el histriónico mundo del abogado Phoenix Wright al cine, sin cometer en el camino ningún tipo de traición. El universo de este novato abogado está absolutamente presente en el film de Takashi, y para los amantes de ese videojuego, la película supone una verdadera sorpresa, pero la pregunta es: ¿qué sucede con los que jamás jugaron a ningún *Acce Attorney* y se encuentran de golpe con estos juicios imposibles? Y la respuesta a eso es que probablemente también disfruten de la película. Si el espectador se sienta a ver *Ace Attorney* con la convicción de que verá un drama de juicios al mejor estilo **J.F.K.: caso abierto** (1991), o **Algunos hombres buenos** (A Few Good Men, 1992), probablemente encuentre en el film de Miike una burla hacia ese género, pero si deja pasar algunos minutos, se encontrará con una película de juicios realmente apasionante. Al igual que en el videojuego (más precisamente al primero de la saga,

del que el film saca los dos casos que aparecen en la película, más algunos detalles de relleno como la figura del Samurái de Acero), el protagonista de *Ace Attorney* es el joven abogado Phoenix Wright, que si bien cuenta con muy poca experiencia, no por eso deja de ser un profesional persistente, decidido a descubrir la verdad y confiar en sus impulsos. La película cuenta dos casos puntuales: el primero, centrado en el presunto asesinato de Mia Fey, jefa del abogado, a manos de Maya Fey, su hermana menor. El siguiente juicio pone a Phoenix en la posición de defender a su enemigo natural, Miles Edgeworth, un joven fiscal que ostenta el récord de jamás haber perdido un juicio. Tomando estos casos como motor, Miike construye un cuidado film que oscila entre la comedia, el drama legal y el suspense, todo eso sazonado con una estética colorida y con unas actuaciones que pasan de la verborragia más intensa al dramatismo absoluto. En esta película hay que resaltar que la mezcla de tonos e ingredientes fue totalmente exitosa, y los cambios de registro funcionaron a la perfección. Todo esto, obviamente, producto de un Miike seguro de sus instintos cinematográficos.

El estreno de *Ace Attorney* reavivó la llama del debate acerca de las adaptaciones de videojuegos al cine, y ¿cuáles fueron las claves que le permitieron a Miike salir airoso de esa encrucijada? Para los espectadores familiarizados con la figura de Takashi, esas claves no son ningún misterio, principalmente porque la obra del director es, en muchas formas, una licuadora que se nutre de decenas de influencias, las cuales van desde el mismo cine, pasando por el manga y los videojuegos. Pero lo más importante de todo es que Miike no teme al ridículo, no se acobarda ante ningún riesgo, y no importa cuán artificial pueda resultar un mundo, él siempre va a intentar llevarlo al cine conservando intacta la esencia de la obra original. Así es cómo la película de Phoenix Attorney tiene todos los elementos característicos del videojuego, a los cuales Miike les agrega las herramientas necesarias para convertir ese universo en una gran película. Takashi respeta los estrafalarios peinados, las investigaciones imposibles, y sobre todas las cosas, esos juicios apasionantes en los que abogados, fiscales y jueces se arrojan furiosos acusaciones entrecruzadas. Y Miike se dio cuenta de lo obvio, que el mundo de Phoenix Wright está anclado en esos juicios de testimonios intensos, en los que se pone toda la carne al asador. El momento que mejor ejemplifica esto es ese en el cual el joven abogado interroga a un papagayo. Un momento que en manos de otro director (desconfiado de la fuente original o simplemente incapaz) hubiera quedado como un ridículo paso de comedia, aquí es una escena de enorme suspense. Ese momento, entre un papagayo y el abogado protagonista, es la prueba más absoluta de la habilidad de Miike y su capacidad de hacer de un videojuego apasionante,

un largometraje de perfecto. Y el secreto del éxito es que Miike, con toda humildad, se pone por detrás del producto que adapta, confiando ante todo en la fuente original y buscando de qué manera puede convertir ese material en una película lo más perfecta posible. Y el crecimiento del director, al menos en este aspecto, lo marca que en esta instancia de su carrera las adaptaciones que realizó se convirtieron todas en excelentes largometrajes.

Basado en el clásico manga realizado por **Ikki Kajiwara** (creador de **Ashitano no Joe**) y **Takumi Nagayasu**, Miike lleva al cine *For Love's Sake*. La historia está centrada en la bella Ai, una niña de alta clase social, y su incondicional amor para con Makoto, un rudo muchacho que se crio en un ambiente hostil, en el que la ley de los puños era la única herramienta válida. La historia (que en los setenta tuvo una serie de imagen real e incluso una trilogía fílmica) es una clásica comedia romántica con toques de drama, centrada en el mundo estudiantil y en los amores y desamores de estos protagonistas. Las diferencias entre ambos, ella rica y él humilde, son la materia prima del drama desde tiempos inmemoriales, y aquí vuelve a utilizarse para descubrir cómo de imposible es una historia romántica cuando sus protagonistas proceden de mundos tan opuestos.

La idea de hacer esta historia en un musical (género al que Miike comprende perfectamente) se convierte en la atractiva clave que sumerge a los espectadores en un universo agridulce, colmado de angustias y frustraciones, pero con grandes dosis de comedia. Como en los buenos musicales, y siguiendo una tónica similar a la de los *Katakuris*, las canciones le permiten a Miike presentar a los personajes, conocer cuáles son sus objetivos y lo que pretenden dentro de un universo que parece estar integrado por jóvenes muchachos y muchachas que aman de manera obsesiva y que encuentran en ese sentimiento el único motor posible para la vida. Ese es el eslabón que une a todos los jóvenes héroes de *For Love's Sake*, la necesidad de amar como clave para crecer, y cuáles son las tristes consecuencias que depara un amor no correspondido. El manga, que tiene un tono que antecede a otras obras de enorme popularidad como *Ranma ½*, tiene esta idea de personajes que aman o son amados, y por ese motivo la figura de Makoto, desde los

ojos de Miike, es tan atractiva. Él es el único que pareciera no amar, el único que no toma decisiones con la firme postura de conquistar el corazón de nadie, y a medida que la película se adentra en el pasado del muchacho Makoto se revela como un personaje que por su infancia casi huérfana (su madre lo abandonó, o al menos eso dice él) es uno de esos personajes que tanto interesan a Miike. Makoto navega en el film de manera errante, y solo el amor incondicional de Ai le impide naufragar de manera absoluta. El atractivo de *For Love's Sake* es que justamente Miike no se detiene a hacer una película utilizando exclusivamente las diferencias sociales de ambos protagonistas, sino con Ai intentando enamorar a Makoto a cómo dé lugar, y lo que comienza siendo una película feliz (que incluye un número musical de la carismática **Emi Takei** interpretando *Ano Subarashi Ai wo Moichido*, probablemente el momento musical más perfecto en toda la filmografía de Miike), poco a poco comienza a transformarse en un agridulce drama. *For Love's Sake* tiene ese tono cálido que Miike logra de manera inesperada en muchas de sus películas, y presenta un mundo que resulta fascinante. Alguna vez, un crítico dijo que *si las películas fueran mundos, habría que ver en cuál quiere vivir cada uno*, y *For Love's Sake* es sin lugar a dudas una de esas películas mundos, en la que varios quisieran vivir durante el resto de sus vidas.

Basada en el libro de **Yusuke Kishi**, en 2012 Miike lleva al cine ***Lesson of Evil***. Ante todo resulta imposible no mencionar el aspecto polémico que esta cinta generó al momento de su llegada. El protagonista del film es Hasumi, un carismático maestro de inglés que dicta clases en una escuela japonesa. Hasumi es joven, apuesto, atento, amigable, tiene el cariño de sus alumnos y el respeto de sus colegas, motivos por los que se convierte en el profesor ideal. Pero detrás de esa fachada perfecta se esconde un asesino serial, un individuo incapaz de sentir empatía con nadie y un monstruo que incluso llegó a asesinar a sus padres en su tierna preadolescencia. Mientras trabaja en la escuela, Hasumi procura esconder su verdadera naturaleza, a medida que comienza un peligroso juego de extorsiones, manipulaciones y asesinatos que involucra a algunos alumnos y alumnas. Como broche de oro macabro, el profesor hará su jugada definitiva: sellar el colegio y entrar con una escopeta al hombro para asesinar a todos los alumnos que se encuentren en el recinto, iniciando así una verdadera masacre en la que mata a decenas y decenas de jóvenes estudiantes.

El verdadero corazón del film es tan incómodo que resulta polémico (razón por la cual generó tantos detractores). Como una especie de ***Elephant*** (2003, dirigida por **Gus Van Sant**), pero planteada totalmente a la inversa, *Lesson of Evil* supone un golpe directo al rostro del espectador, que comienza viendo un thriller en el cual un manipulador y sádico

hombre va extorsionando a distintas personas, hasta que de golpe la película da un giro inesperado para convertirse en una galería truculenta de la violencia más primitiva y descorazonada. El último tramo de la película, en el que Hasumi mata uno a uno a todos los alumnos del instituto, supone un cambio de registro muy arriesgado, con el que muchos espectadores y críticos no estuvieron de acuerdo, pero que indudablemente tiene mucho que ver con esa naturaleza incómoda que siempre propone el cine de Miike, y con esa idea de que jamás está todo dicho en ninguna de sus películas. En un film que está ubicado en la actualidad de su carrera, es impactante cómo el director japonés se niega a estancar su estilo, y si bien ahora goza de un lugar mucho más *mainstream* dentro de la industria, su fascinación por la provocación sigue manteniéndose intacta; pero volvamos a la polémica en torno a esta película. En el año 2000, en *Senses of Cinema*, **Adrian Martin** publicó un artículo titulado *El crítico ofendido*. En ese texto (condensando muchísimo su contenido), Martin hablaba sobre cómo muchas veces a los críticos les resulta de lo más sencillo denostar una película a través de una supuesta indignación, apresurando un juicio moral y reduciendo la totalidad del film al elemento con el que resultara más sencillo incomodarse. Y esto es indudablemente lo que sucede con *Lesson of Evil* y el juego planteado por Miike. La película molestó porque muchos espectadores y críticos entraron en el juego equivocado de pretender que estaban viendo un thriller en la línea de **Henry Retrato de un Asesino** (1986, John McNaughton), sin soportar que de golpe la película decidiera transformarse hacia una serie de asesinatos en la tónica de **Re-Animator** (1985, Stuart Gordon). Lo que cuesta aceptar es la incorrección política que supone el presentar un profesor que

organiza una desigual cacería en la que mata a todos sus alumnos, pero la película no intenta acercarse al drama de esos alumnos de manera trágica, sino que se propone como un festival de violencia totalmente estilizado y ajeno a cualquier matiz de crítica social. La escena que revela esto es la muerte del arquero. En una instancia del film, y con la cacería ya iniciada, solo un alumno logra escapar, y es aquel que practicaba arquería. Fatigado por correr, el joven encuentra a otros adultos y les pide que llamen a la policía, pero el muchacho decide volver al colegio para rescatar a su amada. Ella, que logra escapar del colegio colgando una soga desde una ventana, aterriza en la fachada del instituto pero se rompe una pierna al final de la proeza. Los jóvenes amantes se encuentran a pocos metros de distancia, y él no logra contener un grito entusiasta que pone en alerta a Hasumi. Desde una ventana, el profesor utiliza su escopeta para contrarrestar una flecha lanzada por el arquero, y ahí se evidencia la naturaleza de *Lesson of Evil*. En una escena totalmente digitalizada vemos cómo los perdigones de la escopeta desvían la trayectoria de la flecha, para impactar en el pecho del arquero, en una secuencia de violencia totalmente estilizada. Esa decisión de mostrar la flecha y los perdigones digitales jamás tendría lugar, por poner de nuevo el mismo ejemplo, en *Elephant*, simplemente porque la película del director americano persigue un objetivo totalmente distinto al que Miike busca en *Lesson of Evil*. Y los ofendidos insistieron en que Miike es-

taba frivolizando la muerte, cuando la realidad era totalmente opuesta. La culpa no es del director, sino de los espectadores que insistían en presionar una mirada social en un film cuyo objetivo está vinculado en la estilización de una serie de asesinatos salvajes por parte de un sociópata de la peor calaña. El truco funcionó a la perfección, porque si bien en la primera mitad del film sí hay una idea de armar el retrato psicológico del monstruo que es Hasumi, la segunda mitad cambia por completo la tónica de su estructura, convirtiéndose en una película que se reconstruye a sí misma. Y siguiendo con la construcción de ese villano, Miike se da el placer de homenajear temáticamente a su admirado **David Cronenberg**. Cuando Hasumi se entrega por completo a su sed de sangre más visceral y demente, la culata de la escopeta se convierte, a ojos del asesino, en una masa de músculos y vísceras en cuyo centro se halla el ojo de su antiguo cómplice. Ese ojo lo alienta a que asesine, y de esa manera se produce la siempre presente comunión de la carne con otras formas, un tópico muy presente en el cine de Cronenberg. Otro sensei al cual Miike invoca en este film es el siempre presente **Fukasaku**. La última película de Kinji, titulada ***Battle Royal*** (2000), trataba sobre un grupo de alumnos que eran trasladados a una isla en la que debían matarse los unos a los otros. Y no deja de ser interesante cómo en ambas películas se plantea algo similar: qué sucede cuando un grupo de jóvenes está bajo una amenaza externa (en *Battle Royal*, la amenaza externa eran los adultos que obligaban a los muchachos a matarse) y cómo es la dinámica de trabajo en equipo contra un enemigo en común. Este elemento se convierte en la materia prima de *Lesson of Evil*, ya que el nudo del conflicto se traslada y lo que venía siendo la historia de un verdadero psicópata se convierte en cómo un grupo de alumnos intenta sobrevivir cuando ese mismo psicópata comienza a matarlos uno a uno. La dinámica de comportamientos que atraviesan todos los adolescentes se transforma en el objeto de interés del director, que en ese último tramo del film continúa trabajando las pequeñas historias que venía desarrollando con muchos de esos jóvenes protagonistas, y cómo el mundo de todos ellos se derrumba a golpe de escopeta. El enorme interés que le suponen los mundos adolescentes, en los que Miike se centró en varias oportunidades, creció mucho con el correr de los años, hasta el punto de que el guion de *Lesson of Evil* fue escrito por el propio Miike, algo muy inusual dentro de su carrera (teniendo en cuenta que oficialmente este es el tercero que escribe en cine, luego de *The Great Yokai War* y *Django*). *Lesson of Evil* es sin lugar a dudas una obra maestra, que sigue poniendo en evidencia la búsqueda de Miike por hacer del cine un órgano vivo, capaz de hacer sacudir a sus espectadores hasta la médula, con fábulas salvajes que buscan el placer cinematográfico en todas sus formas. Comprender *Lesson of Evil* como una crítica social colmada de violencia gratuita es no comprender en absoluto el brillante mecanismo de esta película, alejándose del placer que siempre brinda el cine de Miike, y que tiene que ver con moverse de los cánones temáticos habituales para ir hacia los extremos más violentos.

En abril de 2013, Miike estrena ***Los Protectores***. Se trata de un policial a toda regla, cuya premisa es de lo más atractiva. Un joven asesino de niños, llamado Kiyomaru (interpretado por **Tatsuya Fujiwara**, que vuelve a trabajar con Miike tras once años de su protagónico en *Sabu*), es encarcelado y debe ser trasladado a Tokio para ser sometido a juicio. Por la gravedad de sus crímenes, es sabido que a Kiyomaru le espera la pena de muerte, por lo cual su vida vale poco y nada. Pero la situación cobra un giro inesperado cuando un millonario anciano de nombre Ninagawa revela que una de las pequeñas víctimas del asesino fue su nieta. Por ese motivo, el hombre ofrece una recompensa de 1 billón de yenes para quien mate a

Kiyomaru, convirtiendo instantáneamente la cabeza del asesino en un codiciado trofeo al que muchas personas desean acceder. Para asegurar la llegada a salvo de Kiyamaru a Tokio, se designa al agente especial Takao Osawa para preservar la integridad física del asesino. A Takao lo acompañará un grupo de cuatro policías que lo ayudarán a sortear a todos los asesinos improvisados que se irán cruzando en el camino y que intentarán matar a Kiyamaru. En el camino, Osawa deberá combatir con amenazas externas y con la posibilidad de que incluso algunos de sus compañeros lleven una agenda secreta, conspirando contra la vida del asesino, a medida que el propio policía se esfuerza por no liberar a sus fantasmas internos. *Los Protectores* es una de las últimas películas de Miike, en la que demuestra que tras tantos años de dirigir todo tipo de largometrajes el autor conoce al dedillo los mecanismos de la narrativa cinematográfica, y desde ese lugar de pleno conocimiento intenta darle una vuelta de tuerca a las situaciones que podrían convertirse en clichés del cine de género. *Los Protectores* está planteada desde una base similar a la de *Lesson of Evil*, porque un film que comienza vendiendo una imagen determinada, paulatinamente empieza a mutar y a revolucionar los lugares comunes, para saltar

al vacío e ir en busca de sitios pocos transitados por este tipo de películas (el thriller policial, precisamente en este caso). Las primeras escenas del film son de una grandilocuencia poco habitual en el cine de Miike, y mucho más propias de un *blockbuster* norteamericano. Tiroteos incesantes, destrucción de todo tipo de vehículos y una puesta en escena vertiginosa que se limita a cargar de adrenalina las escenas de acción, todo eso parece indicar que estamos ante un film de acción típico, pero ahí es cuando Miike comienza a torcer el camino esperado para ir hacia un lugar menos trillado. Poco a poco, Takasahi empieza a encerrar a sus personajes en la tragedia que vive el grupo desde adentro, y como si fuera un film de **John Carpenter**, el director se concentra en el grupo humano y cómo se construye la confianza mutua cuando una y otra vez amenazas externas pretenden destruir al equipo. La referencia de Carpenter no es forzada, ya que es sabido que el mítico director de terror siente fascinación por los grupos de personajes que deben resistir el embate de una

fuerza externa. Pero en lo que sí se diferencia del esquema Carpenter es que los protagonistas de Miike no están confinados a un espacio físico que los limita (como sucede en **El Príncipe de las Tinieblas** o **Asalto al Distrito 13**), sino que los héroes de Miike están en constante movimiento. La sensación de claustrofobia, entonces, proviene de un grupo que comienza a hacerse más pequeño, porque ese conjunto inicial formado por cinco policías, poco a poco se achica hasta que solo queden Osawa y Shiraiwa, la única mujer del equipo. Y si se habla de Carpenter, es imposible entonces no hacer referencia a uno de sus maestros: el ya mencionado **Howard Hawks**, porque *Los Protectores* comparte esa idea de **Río Bravo** (1959), en la que un grupo de agentes de la ley debe hacer a un lado sus propios deseos para limitarse a cumplir la misión de proteger a un criminal que debe ser sometido a juicio. El oficial Osawa tiene ese sentido de la profesionalidad siempre presente en los personajes *hawksianos* y, como ellos, elige censurar su moral para someterse incuestionablemente al ejercicio de hacer su trabajo de la manera más profesional posible. El oficial le dice a su compañera al principio de la historia que su obligación es cumplir su deber, y ella a los pocos minutos repite la misma frase, pero el efecto contagio durará poco, porque a medida que la trama avance, el grupo de policías comenzará a dudar de la utilidad de jugarse el pellejo por un asesino que no demuestra atisbo de arrepentimiento, y ahí se encuentra el otro gran tesoro que esconde la película. Miike arma con el personaje de Kiyomaru a uno de los villanos más oscuros de su filmografía, estableciendo una similitud con el villano de *Sun Scarred*, porque ambos son jóvenes asesinos que encuentran el placer únicamente en el acto de matar y a quienes que no les interesa ningún tipo de redención. La vileza absoluta de Kiyomaru es la que termina por hacer tambalear ideológicamente a todos los policías, y el universo de maldad que rodea al

personaje (y que se personifica en todos los asesinos espontáneos que surgen en el transcurso del film) presiona a los policías a tener que matar (o peor aún, tener que morir) para proteger a un asesino de niños que no muestra por la vida ningún tipo de respeto. Los policías entendidos por Miike, que lejos están de ser el bien absoluto, muestran rápidamente sus miserias e inseguridades a medida que comprenden la maldad absoluta que representa Kiyomaru, pero el único miembro del grupo que se mantiene fiel a su deber es el agente Osawa. Hay solo una escena en la que el protagonista parece rendirse a la tentación de matar a Kiyomaru, y es cuando el asesino mata de un tiro directo a la policía Shiraiwa. Ese momento condensa el núcleo dramático de *Los Protectores*, porque se trata de una escena en la cual Osawa quiere descargar toda la ira reprimida que ha acumulado a lo largo de la historia. En ese momento, Miike comienza a encerrar a sus personajes en planos cada vez más cortos, aislando todos los elementos y dejando frente de cámara solo a sus protagonistas y a la necesidad casi visceral de matar que tienen ambos. Miike entiende que el verdadero atractivo de *Los Protectores* no pasa por las grandilocuentes escenas de acción, sino por la golpeada voluntad de todos esos policías, que en el cumplir de su misión van aislándose más y más de una sociedad que nos busca justicia, sino un premio económico. Pero los verdaderos héroes y los villanos absolutos de Miike tienen un destino pautado. Kiyomaru finalmente es sometido a juicio, y sus palabras finales son la confirmación de su maldad (*de haber sabido que iban a condenarme a muerte, hubiera matado a más personas*), y Osawa recibe una merecida recompensa. En su última escena, el hombre se encuentra con el pequeño hijo de su compañera fallecida, y ambos se alejan caminando, con lo que parece ser la conformación de un grupo familiar compuesto por los fragmentos que sobrevivieron a una sociedad violenta (no olvidemos que Osawa es viudo y que su mujer murió en un accidente automovilístico provocado por un conductor ebrio). Pero Miike los muestra a ambos de lejos, con la conciencia de que acercar la cámara a Osawa podría significar revelar su violencia interior, esa misma que se vio cuando el policía estuvo a punto de matar a Kiyomaru, y que indudablemente lo acompañará el resto de sus días.

Producida en 2013 y estrenada en febrero de 2014, *The Mole Song: Undercover Agent Reiji* significa la vuelta de Miike al siempre atractivo género yakuza, después de casi siete años sin haber realizado ningún film de esa temática. Basado en el manga de **Noboru Takahashi** (que aún se publica en Japón, habiendo superado los 30 tomos de duración), el protagonista del film es el Reiji del título, un torpe policía que debido a su falta de talento para las tareas convencionales es asignado a la peligrosa misión de infiltrarse en una peligrosa banda yakuza, con el objetivo de descubrir

quiénes son los responsables de la distribución de una peligrosa droga. Para colmo de males, Reiji deberá también impedir una guerra entre bandas yakuzas, mientras procura que su propia torpeza no termine de revelar la verdadera naturaleza de su misión. A pesar de su tono de comedia, y de la habilidad de Miike para construir gags visuales cada vez más originales, *The Mole Song: Undercover Agent Reiji* no termina de ser una de las mejores comedias de este director. **Toma Ikuta**, el joven actor protagonista, tiene todo el histrionismo que necesita el personaje, y en todo momento maneja con precisión el lenguaje físico que requiere esta comedia absurda, pero lamentablemente eso no le alcanza para sostener una película que termina agotando demasiado rápido un tipo de humor que se torna forzado. El tono absurdo del film termina perdiendo fuerza a medida que la trama avanza. Si bien en el pasado Miike había detectado con facilidad en qué momento debía encausar el tono de sus filmes, aquí con *Agent Reiji* eso no sucede, haciendo que la película empiece a naufragar víctima del peso de sus propios chistes. La galería de personajes, todos ellos enormemente estrafalarios, resulta de lo más atractivo en un principio, pero al igual que sucede con el protagonista, todos terminan perdiendo su esencia y limitándose a ser mero decorado. Hay en Reiji un eco de otra comedia de casi la primera época de Miike: *Osaka Though Guys*. Si bien las premisas de ambos films son muy distintas, el tono de comedia es casi el mismo, y las características de los protagonistas de las dos películas son muy similares; tanto Reiji como los bravucones de *Osaka*, entienden la ética como a ellos más les conviene, y pelean por intentar salir adelante en un entorno del que aprenden los códigos sobre

la marcha, sin ningún tipo de temor ante el fracaso. Incluso los hermana el hecho de que los dos protagonizan sendas historias amorosas que tienen inesperados toques de ternura. Pero la ironía es que *Osaka Though Guys*, a pesar de haber sido dirigida por un Miike en los comienzos de su carrera, resulta ser una película mucho más prolija que *Reiji*. En *The Mole Song*, Miike comete un error de base, y es confiar demasiado en la cáscara de su film, algo que se evidencia con el abuso del efecto de edición centrado en mostrar determinadas escenas en un estilo cercano a la animación. Ese exceso de confianza por la forma antes que por el contenido (algo que muy raras veces había ocurrido en el cine de Takashi) lleva a la película a un callejón sin salida, convirtiéndola en una hermosa fábula audiovisual pero sin el nervio dramático que buscan los fans de Miike.

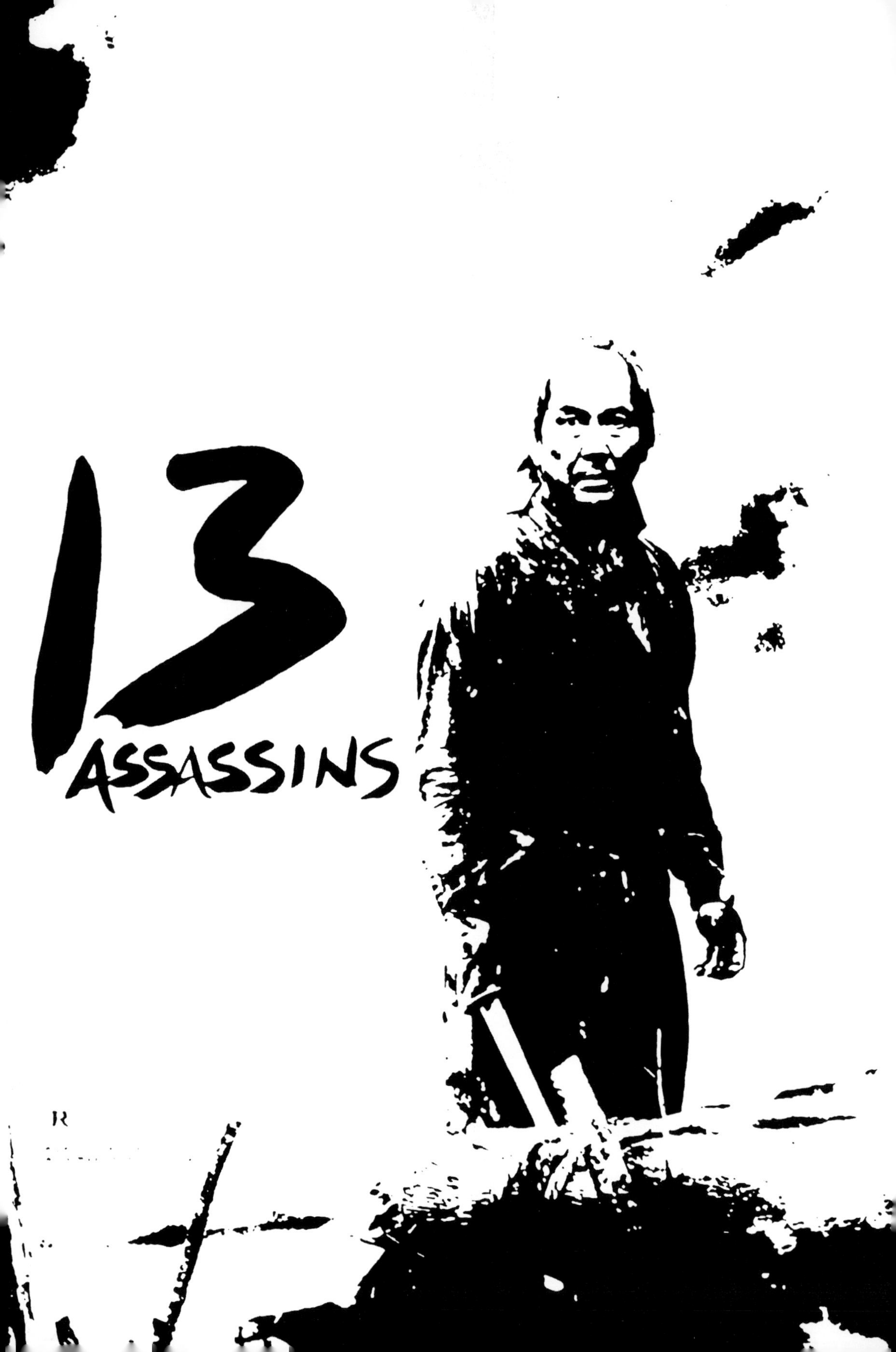
13
ASSASSINS

Capítulo 13

Una última cuestión a modo de conclusión

Y llegados a este punto, es importante establecer por qué **Takashi Miike** y **Takeshi Kitano** son dos figuras clave en la renovación del cine japonés. Por un lado, se entiende que los dos tienen una obra muy distinta, y que ambos encontraron en el cine de género una trinchera temática muy importante, a partir de la cual supieron construir un discurso fílmico. Debo aceptar que cuando empecé a pensar este libro (y esto sería inútil negarlo), mi tesis era que entre ambos directores había un camino paralelo, pero eso no fue así. A fuerza de ver y rever sus películas, fue evidente que cada uno de ellos hizo un camino distinto, un camino personal, y que ninguno de los dos le significó al otro un espejo en el cual mirarse. Intentar establecer similitudes entre el cine de ambos es raro, principalmente porque no las tienen más allá de lo temático, y hasta ese punto es relativo. Sí llama la atención, comparando las obras de ambos, que en varios momentos se hizo presente una preocupación por las modas y una alarmante homogeneización que ellos notaban en ciertos géneros, y por eso no sorprende que tanto Miike como Kitano hayan apuntado sus cañones a **Matrix** como ejemplo de una moda que se contagiaba a ritmo peligrosamente veloz.

Kitano y Miike, aunque sean distintos en su evolución, no dejan de encarnar una importante renovación dentro del cine contemporáneo (japonés y mundial). Eso significa que de alguna manera, establecieron un tipo de personaje y un tipo de cine que otros cineastas tomaron como punto de

partida, expandiendo así temáticas que habían sido olvidadas. Si bien el cine de yakuzas en Japón jamás dejó de estar presente, ellos lograron revitalizarlo, actualizarlo y modernizarlo. Por el lado de Miike, es imposible no entender la importancia que tuvo en cuanto a la renovación de un tipo de antihéroe, que poco tardaría en ponerse de moda, y lo que Takashi logró fue llevar hacia el centro del cine japonés temáticas que eran muy marginales. Kitano, si bien tiene temáticas no tan extremas como las de Miike, también logró hacer de su cine un eje para la industria, con yakuzas reflexivos y nostálgicos, y con un tipo de comedia absurda que él intentó popularizar (con mayor o menor éxito). Lo que une a estos realizadores fue lograr una impronta que no era la habitual, y cómo la obra de ambos es clave para comprender la revolución que atravesó un sector del cine japonés.

Kitano se convirtió en un referente ineludible. Construyó una filmografía en la cual logró armar un tipo de personaje que es muy reconocible como de su autoría, y no hubo prácticamente otros experimentos similares porque Kitano armó una obra tan personal que resulta imposible el pretender copiarla. Takeshi entiende al yakuza de una forma que no lo entendió nadie, y si bien él parte de un casillero similar al de Fukasaku, poco tardó en alejarse de él. Kinji mostró yakuzas que entendían la violencia como parte inherente de sus vidas, pero Kitano fue hacia un lugar totalmente opuesto, comprendiendo a sus héroes, o por lo menos a los de su primer cine, como personajes que intentaban refugiarse de esa violencia. El cine de Kitano es muy consciente de sí mismo, y es muy consciente de esa necesidad por hacer temblar las expectativas del espectador.

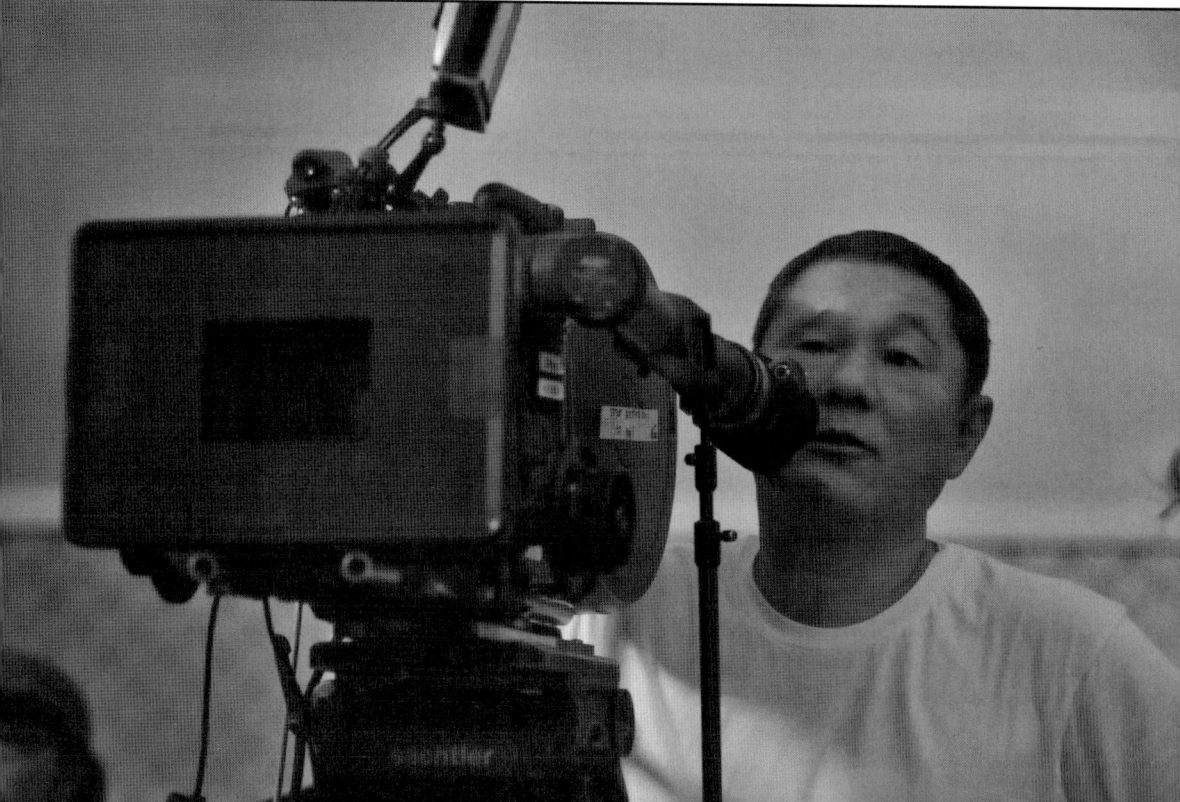

Con respecto a Miike, cabe decir que es un director mucho más rico de lo que se piensa a priori. A Takashi siempre se lo asocia, apresuradamente, con las películas violentas, cuando en realidad su cine es mucho más que eso. A Miike le importan siempre esos personajes solitarios, desterrados, a quienes les sucede lo mismo que le sucedía a él en su juventud, cuando no podía descubrir qué ansiaba para su futuro. En su adolescencia, Miike era una persona que no sabía qué hacer, y muchos de sus personajes son ecos de esa realidad le tocó vivir. En Miike lo que importa no es la violencia, sino la soledad. La violencia es la cáscara de su obra, y la firma de su cine no tiene que ver con eso, sino con la desolación a la que se ven sometidos muchos de sus personajes.

Es también importante entender el legado de Miike. Takashi, al revés de Kitano, sí fue un director mucho más emulado. Y temáticas que Miike iba disparando, o tipos de personajes que iba puliendo, comenzaron a popularizarse. Por ejemplo, es imposible no entender el cine de venganzas surcoreano como heredero de Miike, y si bien ese cine tiene cuestiones muy vinculadas a la historia política de las dos Coreas, presenta personajes de una visceralidad a los que no cuesta asociar como primos hermanos de la obra de Miike. El cine surcoreano de venganza tiene un salvajismo que no era muy habitual, pero que se puso de moda, en parte, gracias a Takashi. Eso señala a Miike como un director que se volvió referente, que tomó temáticas marginales para llevarlas hacia el centro. Y si no, tampoco se explica un éxito cómo el de *Lesson of Evil*, que pone como protagonista de la historia a un asesino totalmente desalmado, que encuentra el placer en el asesinar adolescentes. Que un film de esa categoría se haya convertido en un éxito es gracias a que Miike logró modificar brutalmente el estándar de lo permitido.

Miike y Kitano, renovando temáticas y proponiendo nuevos tipos de personajes, lograron renovar un segmento del cine contemporáneo. Los dos crearon modas, los dos se autoconstruyeron como referentes del cine japonés, y los dos entendieron y supieron realizar los proyectos que más placer les generaban (y les generan). Y por esa necesidad de pensar el cine desde el placer, Kitano y Miike son figuras imprescindibles de su época.

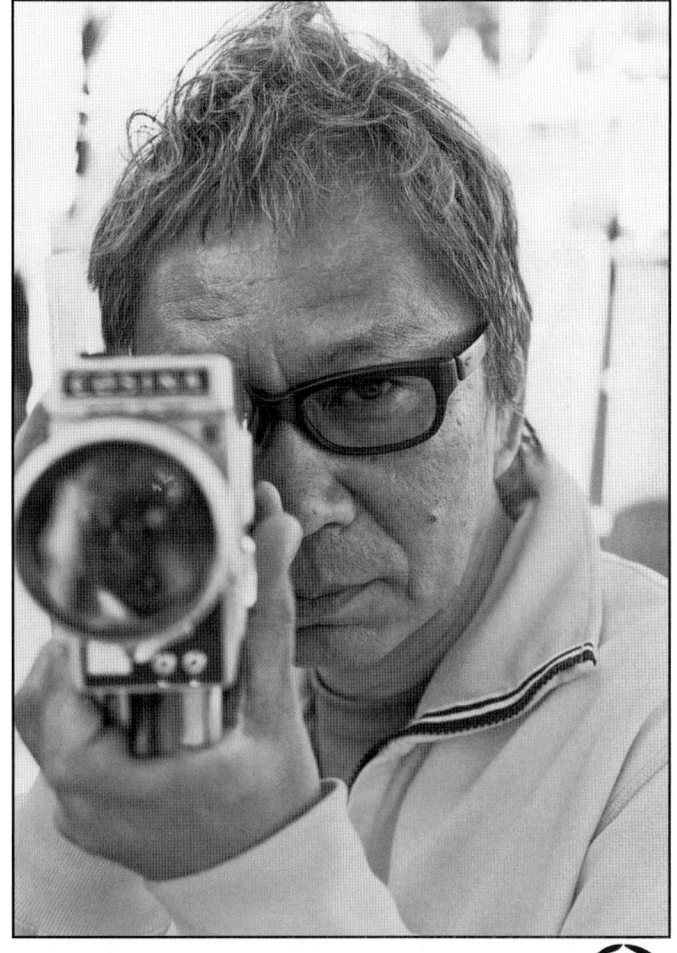

Índice

A

Ace Attorney 179
Agitator 94
Ambition Without Honor 33
Ambition Without Honor 2..36
Andromedia 55
Aquiles y la tortuga 118
Audition 66

B

Big Bang Love, Juvenile A 138
Blues Harp 56
Blue Planet Brothers 155
Bodyguard Kiba 25
Bodyguard Kiba 2: Apocalypse of Carnage 27
Bodyguard Kiba 3...28
Brother..75
Boiling Point...15

C

Crows Zero 161
Crows Zero 2 167

D

Dead or Alive 62
Dead or Alive 2 86
Dead or ALive: Finale 98
Deadly Outlaw Rekka 104
Demond Pond 155
Detective Story 160
Dolls 77

E

El Negociador 128
El Verano de Kikujiro 71
Escenas en el mar 41
Eyecatch Junction 22

F

Family 88
Family 2 88
For Love´s Sake 181
Full Metal Yakuza 39

G

Gemini 154
Getting Any? 45
Glory to the Filmmaker! 115
God´s Puzzle 164
Gozu 124
Graveyard of Honor 109

H

Hana-Bi: Flores de Fuego...49
Hara-Kiri: Muerte de un samurái......................................175
Human Murder Weapon..24

I

Ichi the killer..91
Imprint..140
Izo...134

k

Kids Return..47
Kumamoto Monogatari...100
K-Tai Investigator 7..155

L

La Felicidad de los Katakuris..96
Last Run: 100 Million Ten´s Worth of Love and Betrayal...........23
Lesson of Evil..182
Ley Lines...60
Llamada Perdida...129
Los Protectores...185

M

Making of Zebraman...155
MPD Psycho..154

N

Ninja Kids..177

O

One Fine Day...115
Osaka Tough Guys...29
Outrage...148
Outrage Beyond...150

P

Pandoora..154
Part-Time Detective..154
Part-Time Detective 2...154
Peanuts...34

Q

Q.P...155

R

Red Hunter: Prelude to Murder....................................22
Rainy Dog...37

S

Sabu...101
Salaryman Kintaro...62

Shangri La 102
Shinjuku Outlaw 27
Shunjuku Triad Society 30
Silver 61
Sonatine 43
Sukiyaki Western Django 157
Sun Scarred 143

Т

Takeshis 114
Tennen Shojo Mann 153
Tennen Shojo Mann Next 154
The Bird People in China 53
The City of Lost Souls 83
The Great Yokai War 136
The Guys From Paradise 85
The Man in White 123
The Mole Song: Undercover Agent Reiji 188
The Third Yakuza 28
The Third Yakuza 2 31
The Third Yakuza 3 32
The Way to Fight 34
Tres Extremos: Box 133

U

Ultraman Max 155

Violent Cop 13
Visitor Q 88

W

Waru 140
Waru: kanketsu-hen 140
We are not Angels 26
We are not Angels 2 27

Y

Yakuza Demon 127
Yakuza: Like a Dragon 156
Yatterman 165
Young Thugs: Innocent Blood 36
Young Thugs: Nostalgia 58

Z

Zatoichi (film) 79
Zatoichi (obra de teatro) 155
Zebraman 130
Zebraman 2: Attack on Zebra City 169

0-99

13 Asesinos 171